riodetodasascores

LETRAS & EXPRESSÕES

EDITORA

rio de todas as cores

RIO IN ALL ITS COLORS

Fotografias de | Photographs by Felipe Goifman

Textos de | Text by Cláudia Mattos

FOTOGRAFIAS | PHOTOGRAPHY
Felipe Goifman

TEXTOS | TEXT
Cláudia Mattos

CAPA E PROJETO GRÁFICO | COVER AND GRAPHIC DESIGN
Glenda Rubinstein

COORDENAÇÃO DE PESQUISA | RESEARCH COORDINATION
Fontes & Acervos

PESQUISA | RESEARCH
Bruno Loureiro Werner
Thiago Hastenreiter
Thiago Henriques Gomes

COORDENAÇÃO EDITORIAL | EDITORIAL COORDINATION
Cristina Portela

ASSISTENTE EDITORIAL | EDITORIAL ASSISTANT
Patricia Mafra

ASSISTENTE JÚNIOR | JUNIOR ASSISTANT
Verônica Paranhos
Maria Cristina Martins

ESCANEAMENTO DE IMAGENS | IMAGE SCANNING
Ingrafoto Reproduções em Fotolito

REVISÃO | PROOFREADING
Antonio dos Prazeres
Fátima Fadel

VERSÃO PARA O INGLÊS | ENGLISH TRANSLATION
Passe Traduções e Editorial

PATROCÍNIO
Petrobras Distribuidora S/A

sumário|contents

COSTA DO SOL | SUN COAST 6

Saquarema 10

Arraial do Cabo 16

Búzios 22

Cabo Frio 30

Maricá 36

Rio das Ostras 38

São Pedro da Aldeia 40

Araruama 42

SERRAS | THE MOUNTAIN RANGES 46

Petrópolis 50

Teresópolis 58

Itatiaia 64

Penedo 70

Visconde de Mauá 72

Conservatória 82

Nova Friburgo 84

Sana 90

COSTA VERDE | EMERALD COAST 96

Paraty 100

Ilha Grande 110

Angra dos Reis 118

Mangaratiba 128

RIO DE TODAS AS CORES | RIO IN ALL ITS COLORS 132

Coração do Rio 136

Do outro lado da ponte 152

Rumo à Zona Oeste 160

Praia da Ferradurinha, Búzios | Ferradurinha Beach, Búzios

COSTADOSOL

SUN COAST

região é dos lagos, mas foram as inúmeras praias que fizeram a fama do mais popular complexo balneário do estado do Rio de Janeiro. De águas claras ou turvas, agitadas ou plácidas, de areias brancas e finas ou escuras e grossas. As águas salgadas da Região dos Lagos sempre foram responsáveis pela economia local. Antes da rodovia Amaral Peixoto e da ponte Rio–Niterói levarem hordas de turistas para a área, já era delas que a região sobrevivia, através da pesca ou da extração de sal – até hoje duas das mais importantes atividades econômicas locais.

A construção de um anel viário – recentemente reforçado com a inauguração da Via Lagos –, no entanto, fez a região descobrir sua verdadeira vocação: o turismo. Não é preciso percorrer muito mais do que 100 quilômetros, a partir da Cidade Maravilhosa, para se descobrir os encantos de Saquarema, Arraial do Cabo, Cabo Frio, Búzios, Maricá, Rio das Ostras, São Pedro da Aldeia e Araruama. Esse pedaço da costa fluminense, onde o sol está sempre presente, ainda guarda maravilhas preservadas da ação predatória do progresso, como praias de águas limpas, flora e fauna em extinção – pau-brasil e mico-leão-dourado –, e importantes sítios arqueológicos.

Esses municípios vizinhos ao Rio têm ainda um outro atrativo: a qualidade de vida que as cidades grandes foram perdendo ao longo do tempo. Em Cabo Frio, conta-se uma história que ilustra perfeitamente o que se quer demonstrar. Segundo a lenda popular, José Maria Coutinho teria vivido 178 anos. Nascido em Saquarema, em 1594, casou-se seis vezes, teve 42 filhos, 123 netos, 86 bisnetos e 43 trinetos que chegou a conhecer!

Mitologias à parte, na Região dos Lagos ainda é possível vislumbrar boa parte da natureza exuberante que fora habitada por índios tupinambás, tamoios e goitacás, e que fascinou os franceses, os primeiros brancos a se fixarem na região, atraídos pelo comércio

The region is one of lakes, but it was the countless beaches which led to the fame of this the most popular resort complex in the state of Rio de Janeiro. Whether of clear or dark waters, rough or calm seas, of fine white or dark and coarse sands, the sea waters of the Região dos Lagos have always been responsible for the local economy. Long before the Amaral Peixoto highway and the Rio–Niterói bridge brought hordes of tourists to the area, the region has always thrived from the sea, from fishing or salt extraction, which to this day are two of the most important economic activities in the area.

The construction of a ring-road, with recent reinforcement from the Via Lagos highway, however, led the region to discovering its true vocation: tourism. You only have to go a hundred odd kilometers from the Marvelous City, Rio de Janeiro, to discover the charms of Saquarema, Arraial do Cabo, Cabo Frio, Búzios, Maricá, Rio das Ostras, São Pedro da Aldeia and Araruama. This stretch of the coast of Rio de Janeiro state, where it is always sunny, still preserves wonders that are guarded from the predatory action of progress, such as beaches with clear waters, flora and fauna near extinction – the Brazil-wood and the golden lion tamarin – and important archeological sites.

These municipalities neighboring Rio also have another attraction: the quality of life that the huge cities have been losing over time. In Cabo Frio there is a story that perfectly illustrates this point. According to the popular tale, José Maria Coutinho lived 178 years. Born in Saquarema, in 1594, he married six times, had 42 children, 123 grandchildren, 86 great-grandchildren and 43 great-great-grandchildren before he died!

Mythology aside, in the Lakes Region it is still possible to glimpse much of the exuberant nature that was inhabited by the Tupinambá, Tamoio and Goitacá Indians and that also fascinated the French, who were the first Europeans to establish themselves in the area, attracted by the trade in Brazil-wood. The Portuguese tried to expel the

do pau-brasil. Os portugueses trataram de expulsar os franceses e exterminar os índios. Se dos gauleses não há vestígios, dos povos indígenas restaram inúmeros sítios arqueológicos. Os sambaquis, existentes em praticamente todas as cidades da região, registram a presença do ser humano na área 8.000 anos antes de Cristo. Apesar de os índios não estarem mais presentes, a cultura deles foi incorporada à vida dos moradores da região. Ao longo da estrada que liga o Rio à Costa do Sol, estão instaladas pequenas olarias que fazem todo tipo de objetos de barro, uma herança indígena.

Enfim, um passeio pela Região dos Lagos, uma das áreas favoritas de cariocas – e de mineiros também – para a construção de casas de veraneio, é uma volta ao tempo, um passeio que desvenda maravilhas ecológicas, proporciona banhos em mares azul-esverdeados e, é claro, mergulhos em suas numerosas lagoas. Afinal, não se pode esquecer: a região é dos lagos.

French and exterminate the Indians. Though there are no remains of the French, there are innumerable archeological sites of the indigenous people still around. The *sambaquis* – kitchen middens or ancient refuse heaps – with a presence in practically all the towns in the region, have left signs of human occupation in the area up to 8,000 years before Christ. Though the Indians are no longer present in the region, their culture has been incorporated into the life of the people now in the area. Along the road between Rio and the Costa do Sol, there are small pottery factories making all kinds of objects from clay, an inheritance from those indigenous peoples.

Thus, a trip through the Região dos Lagos, one of the favorite areas of people from Rio de Janeiro and Minas Gerais, to build summer houses, is a trip back in time, revealing ecological marvels, offering bathing in blue-green seas and, of course, dips in the countless lakes. After all, this is the Lakes Region.

Praia da Armação, Búzios | Armação Beach, Búzios

Praia de Itaúna | Itaúna Beach

saquarema

não há surfista que não conheça Saquarema. A praia de Itaúna é uma das mais
perfeitas do Brasil para a prática do es-
porte. Atraídos pelas ondas altas e de
boa formação, atletas do mundo inteiro se reúnem para
desfrutá-las. Itaúna é a mais famosa, porém a maioria
das praias da cidade, banhada quase inteiramente por
mar aberto, é procurada por surfistas e *bodyboarders*.
Quem gosta de prancha conhece as maravilhas das ondas da praia da Vila, de Barra Nova, de Jaconé, de
Saquarema e de Vilatur.

Os que não estão em busca da onda perfeita também podem desfrutar as delícias do mar de Saquarema.
Há praias tranqüilas e, portanto, adequadas para quem
procura um banho de mar sem sobressaltos. Se a prefe-
rência for um mergulho em águas fechadas, as opções
são variadas. A lagoa de Saquarema é uma das mais
visitadas, por estar localizada no centro da cidade. Já
a de Jaconé é ideal para os que gostam de pescar com
tarrafa ou com anzol. A Vermelha é indicada para os que
buscam tratamento medicinal. Em Jacarepiá, o melhor
é observar a flora e a fauna que cercam a lagoa. Com
sorte, pode-se avistar um mico-leão-dourado.

Depois de tantos mergulhos, uma boa opção é um
passeio pela história, ou até pela pré-história da cidade.
A igreja matriz de Nossa Senhora de Nazareth, localizada num outeiro à beira-mar, data de 1660, mas sua
construção só foi concluída em 1837. Para ir mais longe
nessa volta ao passado, vale a pena visitar a praça do
Sambaqui da Beirada, um dos cinco sítios arqueológicos preservados em Saquarema.

There is no surfer who does not know Saquarema. The Praia de Itaúna is one of the best in
Brazil to practice this sport. Attracted by the high
and well-formed waves, athletes from the world
over meet to enjoy them. Itaúna is the most famous, but most of the beaches near the city,
washed by the open sea, are sought out by
surfers and body-boarders. Aficionados of the
board know the wonders of the waves on the
beaches of Vila, Barra Nova, Jaconé, Saquarema
and Vilatur.

Those in search of the perfect wave can also
enjoy the delights of the sea at Saquarema. There
are calm beaches suitable for those who prefer the
sea without surprises. If your predilection is to dive
in still waters, there are varied options. Lake
Saquarema is one of the most visited, as it is located in the center of the city. Lake Jaconé in turn
is ideal for those who like to fish with a throw-net
or a hook and line. Lake Vermelho is indicated for
those seeking medicinal treatment, and the best
lake for observing the fauna and flora which it sup-
ports is the Jacarepiá. With luck, you can see the
golden lion tamarin.

After so much swimming, a trip into history
or even pre-history of the town is a good choice.
The mother church of Nossa Senhora de Naza-
ré, sited on a small hill near the sea, dates
from 1660, but it was only concluded in 1837.
Traveling further back in time, it is worth visiting the Sambaqui da Beirada, a square with one
of the five preserved archeological sites in Saquarema.

Praia de Itaúna | Itaúna Beach

Igreja matriz de Nossa Senhora de Nazaré | Mother Church of Nossa Senhora de Nazaré

Lagoa de Saquarema | Saquarema Lake

Praia da Vila | Vila Beach

Vista da cidade de Saquarema | View of Saquarema village

arraialDOCABO

rraial do Cabo está para o mergulho assim como Saquarema está para o surfe. Isso graças a um fenômeno chamado ressurgência, só observado em outros quatro locais do planeta. A corrente de água fria que vem do sul do continente chega até Arraial do Cabo, onde, por influência das correntes quentes vindas do norte e da ação dos raios solares, esquenta e se aproxima da superfície. As águas do sul são ricas em nutrientes que formam a base da cadeia alimentar marítima. Em função disso, a fauna e a flora marinhas na região são riquíssimas.

A mão do homem também contribuiu para enriquecer o mundo subaquático de Arraial do Cabo. Segundo levantamento do museu da Marinha, a costa da cidade é o segundo ponto com maior número de naufrágios do Brasil, só perdendo para a baía de Todos os Santos, em Salvador. Galeões, caravelas e fragatas portuguesas,

Arraial do Cabo is to scuba diving and snorkeling what Saquarema is to surfing. This is thanks to the phenomenon known as upwelling, which can only be seen in four other places in the world. The current of cold water coming from the south of the continent arrives in Arraial do Cabo, where, with the influence of the warm currents coming from the north and the action of the sun's rays, it is heated up and rises to the surface. The waters from the south are rich in nutrients forming the basis of the marine food chain. As a result of this, a host of marine fauna and flora species thrive in the region.

The hand of man has also contributed to enrich the sub-aquatic area of Arraial do Cabo. According to survey by the Museu da Marinha, the coast of the city is the second most numerous point for shipwrecks in Brazil, coming after the Todos os Santos bay in Salvador, the capital of the state of

Pesca de arrastão, Praia Grande | Dragnet fishing, Grande Beach

francesas, holandesas, inglesas e até mesmo brasilei-ras, repousam no fundo do mar. Estima-se que mais de quarenta embarcações tenham colidido com os roche-dos submersos e ido a pique.

Ao todo, Arraial do Cabo tem 12 praias. Da bucólica Prainha, enseada de 1 quilômetro de águas verdes e calmas, à exuberante praia Grande, com seus 40 qui-lômetros de extensão, areias brancas e finas, dunas, águas transparentes e frias, onde se pratica a pesca de arrastão. Há outras praias selvagens, como a Brava, preferida por pescadores e surfistas. No entanto, uma se destaca por seu valor histórico. Foi na praia dos Anjos que o explorador Américo Vespúcio aportou em 1503, dando origem ao primeiro núcleo habitacional da re-gião. Hoje o local guarda poucas semelhanças com o século XVI, é urbanizado e palco preferido de eventos esportivos e culturais.

Além do lazer, a pesquisa leva muitos visitantes até Arraial do Cabo. Na praia do Forno, um experimento tornou-se atração turística e, por que não, culinária. Em suas águas, que abrigam corais e peixes ornamentais, foram instaladas balsas para a criação de ostras im-portadas do Japão, que em águas do Pacífico, levavam um ano para se desenvolver plenamente, mas em Arraial, são necessários apenas oito meses.

Fazer um passeio de barco é obrigatório em Arraial do Cabo. Caso contrário, como conhecer a ilha do Farol (ou ilha de Cabo Frio) e visitar a magnífica Gruta Azul, com paredes em tons azulados e um salão com 30 me-tros de extensão e 15 de altura na maré baixa? Em terra firme, não se pode deixar de admirar as salinas e visitar os mirantes do Boqueirão e o do pontal do Atalaia. Do primeiro, dá para ver a ilha do Farol, e o se-gundo oferece o mais bonito pôr-do-sol de Arraial.

Bahia. Portuguese, French, Dutch, English and even Brazilian galleons, caravels and frigates rest on the seabed. It is estimated that more than forty ships hit submersed rocks and went to the bottom.

In all, Arraial do Cabo has 12 beaches. From the bucolic Prainha, a cove of one kilometer with green and calm waters, to the exuberant Praia Grande, with its 40 kilometers in length of fine white sands, dunes and transparent cold water, where dragnet fishing is carried out. There are other wild beaches, such as Brava, the beach of choice for fishermen and surfers alike. However one of the beaches is notable for its historical value. It was on the Praia dos Anjos that the explorer Amerigo Vespucci land-ed in 1503, giving rise to the first dwellings in the region. These days it would hardly be recognizable to those from the sixteenth century. Now it is urbanized and is the stage of choice for sporting and cultural events.

Apart from leisure, research brings many visitors to Arraial do Cabo. At Praia do Forno, one experi-ment has become a tourist and, why not, culinary attraction. In its waters, sheltering corals and ornamental fish, rafts have been installed to cul-tivate oysters imported from Japan, which in the waters of the Pacific, would take a year to develop fully, but which in Arraial grow to maturity in just eight months.

Taking a boat trip is a must in Arraial do Cabo. If not, how would you be able to see Lighthouse Island and the magnificent Gruta Azul, with walls in blue tones and a room 30 meters long and 15 meters high at low tide? Back on firm ground, you cannot miss visiting the salt flats nor seeing the view from Boqueirão or the Atalaia Point. From the first of these, you can see Farol Island, and from the second the most beautiful sunset in Arraial.

Pontal do Atalaia e ilha do Farol (ou Ilha de Cabo Frio), ao fundo I Atalaia Point and Farol Island (or Cabo Frio Island), in the background

Praia dos Anjos e praia Grande, ao fundo | Anjos Beach and, in the background, Grande Beach

Praia Brava | Brava Beach

Prainha com praia do Farol ao fundo | Prainha Beach with Farol Beach in the background

Vista do mirante do Boqueirão | View from Boqueirão belvedere

21

BÚZIOS

esde a passagem de Brigitte Bardot pelo balneário, em 1967, a cidade jamais foi a mesma. Antes da estrela francesa, Armação dos Búzios – seu nome oficial – era uma pacata vila de pescadores. Depois de desbravada por ela, tornou-se a mais sofisticada cidade da Região dos Lagos. Muita coisa mudou. Os búzios que deram o nome ao município praticamente desapareceram. Eram usados como moedas na compra de escravos no Congo e em Angola. Hoje tampouco se armam baleeiros para a pesca dos animais que acorriam à região para procriar, entre os meses de julho e outubro, e lá mesmo eram desossados, daí o nome da praia dos Ossos.

A beleza natural e a vocação cosmopolita de Búzios, no entanto, são capazes de fazer qualquer turista

Since the stay of Brigitte Bardot at the resort, in 1967, the town has never been the same. Before the arrival of the French star, Armação dos Búzios – to give it its official name – was a peaceful fishing village. After being "discovered" by her, it became the most sophisticated city in the Região dos Lagos. Much has changed since then however. The *búzios*, or King Helmet shells, which gave the name to the municipality have practically disappeared. They were once used as currency for buying slaves from the Congo and Angola. Our modern times also no longer see the provisioning of the whaling ships that harvested these animals which came to the region to procreate between July and October each year. It was there that they were stripped to the bone

esquecer os deslizes do passado. O território de 634 qui-lômetros quadrados é banhado por nada menos que vinte praias com características capazes de agradar a gregos e troianos. Umas são desertas, como Tucuns, contígua à mais badalada de todas: Geribá. Há outras de difícil acesso, como a da Foca, com sua piscina natural, característica também da belíssima Ferradurinha. Quem vai a Búzios não pode deixar de apreciar as águas azuis e transparentes de João Fernandes, pegar onda na praia Brava, mergulhar junto aos rochedos da Azedinha e jogar frescobol na Azeda, cercada por uma área de proteção ambiental.

De dia, praias, sol e vida saudável. De noite, uma vida noturna de fazer inveja. As melhores grifes têm loja em Búzios. Os melhores restaurantes também têm filial – às vezes até sua matriz – por lá. A rua das Pedras, apelido dado à avenida Bento Ribeiro Dantas, devido ao calçamento em pedras irregulares, no coração da Armação – centro da cidade –, é palco de um intenso vaivém de gente que quer ver e ser vista. As boates tam-bém são numerosas e nem é preciso se importar com a hora. O auge da agitação é de madrugada. Depois de tanta ação, nada como ver o sol nascer de um dos qua-tro mirantes da cidade.

Antes de Brigitte, outro e ainda mais ilustre estran-geiro conheceu as maravilhas locais. Charles Darwin passou um dia hospedado na região durante a céle-bre viagem que fez a bordo do veleiro *Beagle*. Mas, em Búzios, todas as homenagens são para a atriz. Ela em-presta seu nome ao cinema local e ao passeio que margeia a Armação, na qual ganhou até estátua.

and hence the name of the Praia dos Ossos (Beach of Bones).

The natural beauty and cosmopolitan vocation of Búzios, however, are able to make any tourist forget the errors of the past. The territory of 634 square kilometers has no less than twenty beach-es with features that cannot fail to please even the seasoned travelers. Some are deserted, such as Tucuns, next to the most well known of all: Ge-ribá. There are others which are difficult to get to, such as Foca, with its natural pool, a characteristic shared by the exceptionally beautiful Ferradurinha. No-one going to Búzios can fail to appreciate the blue transparent waters of João Fernandes, catch some waves at Brava, swim off the rocks of Azedinha and play beach-tennis at Azeda, which is surrounded by an environmental protection area.

By day, beaches, sun and the healthy life and after sundown, a night life to envy. The best la-bels have shops in Búzios. Some or Rio's best restaurants also have branches in town and are sometimes even based here. Rua das Pedras, a nickname given to Bento Ribeiro Dantas Avenue due to its paving with irregular stones, in the heart of the Armação, is the setting for an intense com-ing and going of people who want to see and be seen. The nightclubs are many and there is no need to be worried about the time as the peak of the "busy-ness" is during the middle of the night. And after so much action, there is nothing like watching the sunrise from one of the four viewpoints in Búzios.

Before Brigitte Bardot, another even more illustrious foreigner saw the wonders of the locality. Charles Darwin spent a day in the region during the celebrated voyage he made aboard The Beagle. But, in Búzios, all the praise is for the actress. She lends her name to the local movie theater and to the beach promenade along the town, and she even has a statue there.

Praia da Ferradurinha | Ferradurinha Beach

Vista das praias do Forno e da Foca | View of Forno and Foca beaches

Praia Azeda | Azeda Beach

caboFrio

Cabo Frio é o coração da Região dos Lagos. Não tanto pela posição geográfica, mas pela importância política. Praticamente todas as demais cidades ao redor foram seus distritos, antes de conquistar sua emancipação. Não é à toa que Cabo Frio tem hoje a maior população da área, 126 mil habitantes.

Embora seja uma das eleitas dos mineiros, Cabo Frio é muito mais do que uma cidade de veraneio; é um município estruturado para o tamanho que tem, com *shoppings*, teatros, comércio e serviços que atendem não só os visitantes, mas também a população residente. Mesmo assim, o turismo é o foco da economia local.

A praia do Forte é a maior e a mais popular da cidade. Porém, para quem quiser algo menos urbano, há pelo menos três, entre as sete opções, que são imperdíveis. A do Peró, com suas dunas, e a das Conchas, um aconchegante recanto cercado por dois despenhadeiros que valem a escalada. Para quem gosta de surfar ou de tomar banho de mar ao natural, a mais indicada é a praia Brava.

O canal de Itajuru, com 6 quilômetros navegáveis, também figura entre as atrações da cidade. Ao longo do cais existe uma ampla feira de artesanato. Uma visita ao forte São Mateus, que dá nome à principal praia da cidade, é programa obrigatório. A construção de 1616 é pequena – são apenas cinco cômodos –, mas ajudou os portugueses a defender a região de embarcações francesas, inglesas e holandesas. Pela importância histórica, Cabo Frio tem um relevante conjunto arquitetônico sacro, do qual fazem parte a igreja e o convento de Nossa Senhora dos Anjos (1686) e as capelas de Nossa Senhora da Guia (1740) e de São Benedito (1761).

Cabo Frio is the heart of the Região dos Lagos, not so much for its geographical position, but for its political importance. Practically all the neighboring towns were sub-districts before their emancipation. It is no accident that today Cabo Frio has the highest population of the area at 126,000 inhabitants.

Though it is the resort of choice for many people from Minas Gerais, Cabo Frio is much more than a place to spend the summer. It is well structured for its size, with shopping centers, theaters, stores and services attending not only visitors, but the resident population as well. Even so, tourism is the focus of the local economy.

Fort Beach is the largest and most popular of the town. However, for those who want something less urban, there are at least three, amongst the seven options, that are unmissable. Peró, with its dunes, and Conchas, a cozy spot surrounded by two cliffs that are worth the climb. For those who like to surf or to bathe naturally, the best indication is Brava Beach.

The Itajuru Canal, with its six navigable kilometers, also features amongst the attractions of the town. Along the quays there is a good-sized crafts market. A visit to the São Mateus Fort, which gives its name to the main beach of the town, is a compulsory item on any itinerary. The building from 1616 is small – there are only five rooms – but it helped the Portuguese to defend the region from French, English and Dutch landings. As regards its historic importance, Cabo Frio has a relevant sacred architectural heritage, including the church and convent of Nossa Senhora dos Anjos (1686) and the chapels of Nossa Senhora da Guia (1740) and of São Benedito (1761).

Praia Brava I Brava Beach

Praia das Conchas | Conchas Beach
Canto da praia do Forte | End of Forte Beach
Dunas | Dunes

33

Forte de São Mateus | São Mateus Fort
Canal de Itajuru | Itajuru Channel

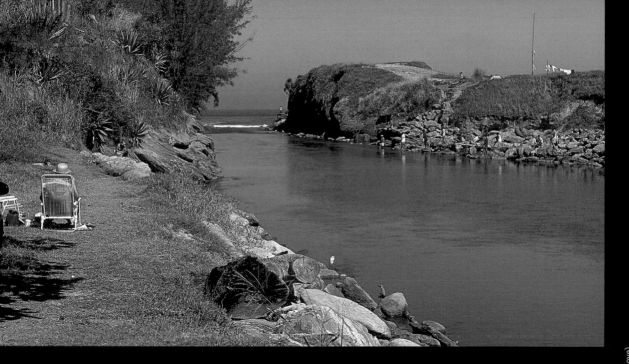

maricá

maricá definitivamente faz jus à Região dos Lagos. Praia, por mais que cada trecho tenha um nome, é uma só: a de Maricá, com cerca de 45 quilômetros de extensão, a maior faixa de areia contínua de todo o litoral do Rio de Janeiro, onde as dunas também estão presentes. As cinco lagoas que banham o município – Maricá, Jaconé, Barra, Guarapina e do Padre – formam um importante complexo lacustre, no qual a pesca e os esportes náuticos são as grandes atrações.

Um dos trechos mais belos da extensa praia de Maricá é a Ponta Negra, de águas frias e transparentes. Seu nome, acreditam alguns, está relacionado ao fato de ter sido ponto ilegal de desembarque de escravos, após a proibição do tráfico. Um farol, ainda ativo, também é uma atração turística no local. Dele, avista-se a curvatura da terra no horizonte.

Além das lagoas e das praias, vale conhecer a capela de Nossa Senhora da Saúde, um pequeno outeiro construído entre os séculos XVII e XVIII, de onde se pode ver todo o vale de Ubatiba, tendo ao fundo a serra do Lagarto.

Maricá certainly does justice to the Região dos Lagos. The beach, even though each stretch has its own name, is just one: Maricá Beach being 45 kilometers long, is the longest strip of continuous sand in the entire coast of Rio de Janeiro, and includes many dunes. The five lakes within the municipality – Maricá, Jaconé, Barra, Guarapina and do Padre – form an important complex of lakes where fishing and water sports are big attractions.

One of the most beautiful stretches of the long Maricá Beach is Ponta Negra, with its cold and transparent waters. The beach owes its name, some believe, to having been the point of illegal disembarkation of slaves, after the prohibition of the traffic. A lighthouse, which is still active, is also a tourist attraction here. From there the curvature of the Earth can be seen on the horizon.

Apart from the lakes and beaches, it is worth visiting the chapel of Nossa Senhora da Saúde, built between the seventeenth and eighteenth centuries on a small hill, from which the whole of the Ubatiba valley can be seen with the Serra do Lagarto mountain range in the background.

Praia das Areias Negras | Areias Negras Beach

rIODasOSTRas

apesar do que sugere o nome, Rio das Ostras não é conhecida pelas belezas fluviais. São suas 12 praias, sete ilhas, quatro lagoas, quatro enseadas, oito pedras e lajes, e duas pontas, os atrativos para os turistas. Dois deles são especialmente encantadores: a lagoa da Coca-Cola e a praia da Enseada das Gaivotas. As águas da primeira apresentam uma grande concentração de ácidos decorrentes da decomposição de folhas e galhos. Como são pouco usados pelos organismos vivos, tais ácidos se acumulam, deixando o espelho d'água da cor do famoso refrigerante. As gaivotas não são o principal atrativo da praia da Enseada, o show é garantido pelas baleias, que escolhem o local para amamentar seus filhotes. Há quem carinhosamente a denomine de Berço das Baleias.

Três outras praias de areias monazíticas merecem destaque. A do Centro é cercada por casuarinas e figueiras centenárias, além de possuir águas mornas de um verde intenso. As mesmas características são encontradas na praia da Joana, que, por sua vez, é cercada por uma vegetação selvagem. Já a das Areias Negras, em forma de ferradura, oferece uma vista encantadora da ilha do Costa e da pedra do Suspiro.

Só para deixar claro, Rio das Ostras tem um rio homônimo, de 12 quilômetros de extensão, navegável por embarcações de pequeno porte. No encontro de sua foz com o mar, existe um criadouro natural de ostras.

Despite what the name suggests, Rio das Ostras is not known for its flowing beauty, but rather its 12 beaches, seven islands, four lakes, four coves, eight rocks and stones and its two points bring the tourists. Two of these are especially charming: the Coca-Cola Lake and the Praia da Enseada das Gaivotas (Seagull Cove Beach). The waters of the former show high concentrations of acids due to the decomposition of leaves and branches. As the vegetation is hardly consumed by live organisms, such acids accumulate, leaving the water with the appearance of the famous soda drink. The seagulls are not the main attraction of Enseada das Gaivotas Beach. The show is stolen by the whales that choose this site to feed their offspring. Some affectionately call this the Whale Nursery.

Three other beaches of monazite sands are worthy of note. That of the center is surrounded by forest oaks and fig trees hundreds of years old, as well as the warm waters of an intense green. The same characteristics can be found at Joana Beach, which, in turn, is surrounded by wild vegetation, whereas the horseshoe-shaped Areias Negras (Black Sands), offers spellbinding views of Costa's Island and the Pedra do Suspiro (Stone of Sighs).

Just to make it clear, Rio das Ostras does have a river of the same name, which is 12 kilometers long and is navigable by small boats. And at its mouth, where it meets the sea, there is a natural oyster bed.

Praia do Centro I Centro Beach; Praia da Joana I Joana Beach

sãopedrodaaldeia

a cidade de São Pedro da Aldeia se divide entre o turismo, a pesca, a pecuária e a produção de frutos cítricos. Embora não seja sua atividade econômica principal, a produção de sal acrescenta à paisagem da cidade salinas e bucólicos cata-ventos. É banhada por lagoas e pelo mar, como a maior parte de suas vizinhas da região. No entanto, as ilhas são uma atração à parte em São Pedro, como as águas são de pouca profundidade e as ilhotas ficam próximas, não é preciso nadar para chegar até elas; faz-se o percurso a pé.

The economy of the town of São Pedro da Aldeia is divided between tourism, fishing, cattle farming and citrus fruit production. Although it is not the town's main economic activity, salt production adds salt flats and bucolic windmills to the landscape. Like most of its neighbors in the region, it is blessed with lakes and by the sea. However the islands are a particular attraction in São Pedro. As the water is very shallow and the islands are close to the coast, it is not necessary to swim to them as they can be accessed on foot.

Two architectural works stand out in the town.

Duas obras arquitetônicas se destacam na cidade. A primeira é a igreja dos Jesuítas, cuja construção foi concluída em 1783, feita de pedra, cal e óleo de baleia, e que abriga uma das mais antigas imagens do país, uma Nossa Senhora da Conceição em terracota, de 1551. A segunda é o resultado do trabalho de décadas de um Gaudí tropical. Gabriel Joaquim dos Santos, filho de escravos e sem dinheiro, começou a construir uma casa em forma de flor em 1912, com o material que encontrava no lixo. Somente no ano de sua morte, 1985, a construção foi dada como acabada. Hoje é patrimônio tombado.

The first is the Jesuit church, concluded in 1783, made of stone, lime and whale oil. It harbors one of the oldest holy icons of the country, of Nossa Senhora da Conceição, made of terra-cotta and dating from 1551. The second is the result of decades of work of a tropical Gaudi, Gabriel Joaquim dos Santos. This penniless son of slaves began construction of a flower-shaped house in 1912, with whatever suitable material he could find in the waste. Only in the year of his death, 1985, was the building said to be complete. It is now legally protected as a heritage site.

araruama

abo Frio foi o centro político da Região dos Lagos, mas Araruama foi sempre a cidade responsável por sua existência. O sal é abundante em seus limites, mas a água potável é a principal riqueza do município. É nele que está localizada a lagoa de Juturnaíba, que promove o abastecimento de água potável para toda a Região dos Lagos. Um dos cartões-postais da cidade é a região de Praia Seca. Em sua paisagem estão as salinas e os moinhos de vento, que fizeram de Araruama o segundo pólo salineiro do país.

A 13 quilômetros do centro da cidade, vale conhecer a restinga de Massambaba. Uma faixa arenosa de cerca de 12 quilômetros de extensão, que separa a lagoa de Araruama do oceano Atlântico.

Cabo Frio has always been the political center of the Região dos Lagos, but Araruama has always been responsible for its existence. Though salt is abundant within its borders, it is the drinking water that is the principal resource of the municipality. It is here that the Juturnaíba Lake is situated, and which supplies drinking water to the whole of the Região dos Lagos. One of the postcard views of the town is Praia Seca (Dry Beach). Its landscape includes salt flats and wildmills wich make Araruama the second largest salt production area in the country. Thirteen kilometers from the center of town, it is worth seeing the Massambaba Sandbank. A strip about twelve kilometers in length, it separates the lake of Araruama from the Atlantic Ocean.

Salinas, Praia Seca | Salt flats, Seca Beach; Restinga de Massambaba | Massambaba Sandbank

Salinas, Praia Seca | Salt flats, Seca Beach

serras

THE MOUNTAIN RANGES

Prateleiras, parque nacional de Itatiaia | Prateleiras, Itatiaia National Park

O Rio de Janeiro é feito de mar e montanhas. A pouco menos de 100 quilômetros das praias ergue-se a serra do Mar. E nos vales entre as colinas, cobertas por uma exuberante Mata Atlântica, escondem-se paraísos históricos, ecológicos, aventurescos e esotéricos. Se o litoral tem o calor das praias, as montanhas têm o frescor de banhos de cachoeiras, os mergulhos em poços de águas frias – no inverno chegam a ser geladas –, a paz com o contato com a natureza, a acolhida típica das cidades do interior, e as tradições de culturas de imigrantes que vieram de longe – Suíça, Alemanha e até da Finlândia – e fincaram raízes numa terra, onde o verde é a cor predominante.

Desde o século XIX é conhecida a vocação da Região Serrana para o turismo. Residências de veraneio foram construídas em meio a fazendas de café – hoje praticamente improdutivas. Por volta de 1800, quando a capital era assolada por pestes, como a bubônica e a febre amarela, quem tinha posses rumava para as montanhas em busca de ar puro e de um clima mais ameno, inclusive a família imperial. Antes do turismo na região se desenvolver com todo o seu potencial, os suíços e os alemães chegaram, no início do século XX, à procura de terras nas quais pudessem trabalhar. A imigração deu à região uma característica peculiar. Hoje, muitos dos que lá vivem têm os cabelos e a pele de cor clara, bem diferente dos puris, os habitantes indígenas nativos.

Quando os puris ainda andavam pela montanhas fluminenses, 15% do solo brasileiro era coberto pela Mata Atlântica, tipo de vegetação tropical com árvores de grande porte, como o cedro e o jequitibárosa. Hoje, mais da metade da mata original foi destruída pela ação exploratória. No entanto, nenhum estado brasileiro preserva tão bem a sua Mata Atlântica como o Rio. É aqui que hoje estão concentrados 10% da floresta litorânea original do país. Isso graças à criação de áreas de preservação ecológica,

Rio de Janeiro state is more than just the sea that it is famous for. Its character is also defined by its mountains. Within an hour's drive from the beaches, the Serra do Mar mountain range rises over the coastal strip. It is in its valleys and hills covered by the exuberant Atlantic tropical forest that many of Rio de Janeiro state's historical, ecological, adventurous and esoteric gems are hidden. If the coast has the heat of the beaches, the mountains have the freshness of bathing in waterfalls, the swimming in pools of cool water. The whole area is defined by the peace of contact with nature, the welcome typical of small towns and the traditions of immigrants who came from faraway Switzerland, Germany and even Finland. Here they put down roots in a land where green is the predominant color.

It is common knowledge in Brazil that the vocation of the Serra region since the nineteenth century has been for tourism. Summer houses were built here in the middle of large coffee farms which are mostly no longer productive. Around 1800, when the capital, Rio de Janeiro, was afflicted by diseases like bubonic plague and yellow fever, the wealthy, including the Imperial family, would travel to the mountains in search of fresh air and a more agreeable climate. Before tourism in the region was developed to its full potential, the Swiss and Germans arrived at the beginning of the twentieth century, looking for land which they could work. This immigration gave the region a peculiar characteristic. Many of those now living there have blond hair and light-colored skin, very different from the Puris, the indigenous inhabitants.

When the Puris still walked the mountains of Rio de Janeiro state, 15% of Brazilian soil was covered by Atlantic forest, a type of tropical vegetation with large trees, like the cedar and the *jequitibá-rosa*. Nowadays, more than half of this original forest has been destroyed through exploitation. But no other Brazilian state has preserved its Atlantic Forest as well as Rio de Janeiro. It is in here that 10% of Brazil's original coastal forest is still concentrated.

como o parque nacional de Itatiaia – o primeiro cria-do no Brasil – e o parque nacional da serra dos Órgãos.

É em meio a uma vegetação sempre verde e exu-berante que o turista pode apreciar os prazeres das cachoeiras de Petrópolis, Teresópolis, Itatiaia, Nova Friburgo, Penedo, Conservatória, Visconde de Mauá e Sana, e – se tiver coragem – se aventurar a praticar esportes mais radicais como o *rafting*. Pode apreciar também os prazeres da boa mesa, uma marca de to-das as cidades da região, com os ingredientes mais saudáveis possíveis. São as serras que fornecem boa parte das hortaliças, legumes e frutas consumidos na capital.

This is thanks to the creation of ecological preser-vation areas, like the National Park of Itatiaia, the first ever created in Brazil, and the National Park of Serra dos Órgãos.

In the middle of this always green and exuberant vegetation tourists can appreciate the pleasures of the waterfalls of Petrópolis, Teresópolis, Itatiaia, Nova Friburgo, Penedo, Conservatória, Visconde de Mauá and Sana. And, if they are brave, practice riskier sports like rafting. They can also appreci-ate the pleasures of the table, for which the towns of the region are known, and with the healthiest ingredients possible. A large part of the greens, vegetables and fruit consumed in the capital are grown in the mountainous Serra region.

PETRÓPOLIS

a cidade, como as demais da região, também é repleta de encantos naturais. São cachoeiras, como a Cascatinha e a Véu da Noiva, e locais de vista belíssima, como a pedra Comprida, indicada para quem gosta de alpinismo radical. Mas a cidade tem muito mais a oferecer além da natureza. Petrópolis foi um importante centro político do Império brasileiro, principalmente durante o segundo reinado, de D. Pedro II, que passava longas temporadas por lá, e ainda na incipiente República. Em função disso, parte importante da história brasileira está guardada em seus palacetes.

This city, like the others in the region, is also full of natural charms. There are waterfalls, such as the Cascatinha and the Véu da Noiva (Bride's Veil), and places with beautiful views, like Pedra Comprida, which is for those who are into serious mountain climbing. But the city also has much more to offer than nature alone. Petrópolis was an important political center of the Brazilian Empire, principally during the reign of Dom Pedro II, who spent long seasons there, and again in the early years of the Republic. As a result of this, an important part of Brazilian history is kept in the town's palaces.

The city was founded as a German agricultural settlement, but Dom Pedro I fell in love with the

A cidade foi fundada para ser uma colônia agrícola alemã, mas logo D. Pedro I encantou-se com o local e comprou para si uma fazenda. Com a abdicação, a residência de verão da família imperial só foi realmente construída por D. Pedro II, ainda na primeira metade do século XIX. Hoje, abriga o museu Imperial. Há peças importantes, como o trono do Estado, o primeiro aparelho telefônico da América Latina – instalado originalmente no Paço de São Cristóvão – e jóias finíssimas, como a coroa imperial de D. Pedro II. Encomendada para a cerimônia de 1841, a coroa é em ouro cinzelado, pesa 1.720 gramas e é ornada com 639 brilhantes extraídos de Minas Gerais e 77 pérolas. Há também a coroa de D. Pedro I, usada na cerimônia de 1822. Embora tenha mais ouro – pesa 2.684 gramas –, é menos opulenta que a de seu sucessor. É que muitas das pedras originais foram usadas para ornar a coroa do filho.

Além do museu, outras construções seculares são atração em Petrópolis. A catedral de São Pedro de Alcântara, cuja construção teve início em 1884, que guarda os restos mortais da família imperial; o palácio de Cristal, inaugurado em 1884, como local para exposições e festas; e casas particulares e históricas. Entre elas, destacam-se a casa do padre Corrêa, da segunda metade do século XVIII, a casa do barão de Mauá, de 1852, e o palácio Amarelo, de 1850, atual Câmara Municipal.

Petrópolis é mais que uma natureza exuberante – hoje é considerada uma das cidades mais floridas do estado, tendo nas hortênsias sua marca registrada – e certamente não é só história. É também um importante centro têxtil e excelente local para compras de roupas de malha – a rua Teresa, no centro da cidade, é onde se concentra o maior número de lojas.

place and bought himself a farm. With his abdication, the summer residence of the Imperial family was built by Dom Pedro II in the first half of the nineteenth century. Today it houses the Imperial Museum. This museum keeps important pieces, such as the Imperial throne and the first telephone set in Latin America, originally installed in the Paço de São Cristóvão palace, in the city of Rio de Janeiro. There are extremely fine jewels as well, like the Imperial crown of Dom Pedro II. Commissioned for the ceremony of 1841, the symbol of royalty is of chiseled gold, weighs 1,720 grams and is decorated with 639 diamonds extracted in Minas Gerais and also 77 pearls. Museum visitors will also be able to see the crown of Dom Pedro I, used in the crowning ceremony of 1822. Although it has more gold and weighs 2,684 grams, it is less opulent than that of his successor, since many of the original gems were used to adorn the crown of his son.

Apart from the museum, other century-old buildings are also attractions in Petrópolis. The cathedral of São Pedro de Alcântara, whose construction was started in 1884, and which now holds the remains of the imperial family; the Crystal Palace, inaugurated in 1884 as an exhibition and events hall; as well as private and historic homes. Outstanding amongst the latter are the Padre Corrêa House, from the second half of the nineteenth century, the Baron of Mauá House, from 1852, and the Yellow Palace, from 1850, and which today is the site of the City Hall.

Petrópolis is more than just exuberant nature and certainly has more than just history to offer. Today the town ranks as one of the cities with most flowers in the state, with hydrangeas being its trade mark. It is an important textiles center and an excellent place to buy locally made clothes. The best area for shopping is in Rua Teresa, in the center of the city.

Catedral de São Pedro | São Pedro Cathedral

Casa do padre Corrêa (ao centro, acima) | Padre Corrêa House (middle, top)

Casa do barão de Mauá (ao centro, abaixo) | Baron of Mauá House (middle, bottom)

Parque nacional da serra dos Órgãos | Serra dos Órgãos National Park

Pedra Comprida, Bonfim, Corrêas | Comprida Stone, in Bonfim, Corrêas
Cachoeira Véu da Noiva, Corrêas | Bride's Veil Waterfall, Corrêas

Teresópolis

pesar de seu nome ter origem histórica – uma homenagem à imperatriz Teresa Cristina –, o ponto forte de Teresópolis é a natureza e a gastronomia. Conhecida como cidade de veraneio desde 1850, ela se destaca por ser a mais elevada de todo o estado do Rio. Apesar de não ter em seus domínios o ponto culminante fluminense, Teresópolis abriga, no parque nacional da serra dos Órgãos, o Dedo de Deus, formação rochosa de 1.692 metros de altura – em dias claros pode ser avistada mesmo da região portuária do Rio –, que lembra um dedo indicador apontando para o alto. No mesmo parque, estão localizadas a pedra do Sino e cascatas imperdíveis.

Para quem gosta de botânica, principalmente de orquídeas, Teresópolis é um prato cheio. A cidade também é famosa por sua produção de hortaliças, abastecendo grande parte do mercado da capital.

Teresópolis é excelente para quem gosta de praticar caminhadas. Há pontos com vistas deslumbrantes, como a colina dos Mirantes, de onde, em dias claros, pode-se avistar até a baía de Guanabara. Os que gostam de esportes mais radicais podem tentar as escaladas de pedras como o Dedo de Deus e da Agulha do Diabo.

In spite of its name being historical in origin, after the Empress Teresa Cristina, Teresópolis's strong points are nature and gastronomy. Known as a summer-season town since 1850, it is the highest city in the whole state of Rio de Janeiro. And though it does not have the highest point in the state, Teresópolis does have the Dedo de Deus (Finger of God), a 1,692 meter high rocky formation that on clear days can be seen from the port area of Rio. The rock, which looks like a huge finger pointing upwards, is in the National Park of Serra dos Órgãos, which is also the site of the Pedra do Sino (Bell Rock) and of unmissable cascades.

For those who like botany, especially orchids, Teresópolis is a feast. The city is also famous for its production of green vegetables, supplying a large part of the market of the state capital.

Teresópolis is excellent for those who like to walk and hike. There are places from which there are stunning views, like the Colina dos Mirantes, from which you can see Guanabara Bay on clear days. Those who like their sports more daring can try rock climbs like the Dedo de Deus (Finger of God) and the Agulha do Diabo (Devil's Needle).

Dedo de Deus | The Finger of God; Vista da cidade de Teresópolis | View of Teresópolis

Serra dos Órgãos

Plantação de hortaliças, estrada Teresópolis–Friburgo | Green vegetables market garden, Teresópolis–Friburgo road

Itatiaia

oa parte das terras de Itatiaia pertenceu ao barão de Mauá, figura histórica brasileira que, por se preocupar mais com a abertura de ferrovias do que com a monocultura do café que imperava na região, acabou preservando sem querer a natureza e dando ao país seu primeiro parque ecológico, o parque nacional de Itatiaia. A área tem hoje 30 mil hectares – mais do que o dobro dos 12 mil originais – e oferece estrutura para que o turista conheça a Mata Atlântica.

Em seus domínios está a serra da Mantiqueira, onde se localiza o pico das Agulhas Negras, o ponto culminante do estado, com 2.787 metros de altitude, e o sétimo mais alto do país. Quem consegue vencer o desafio de escalá-lo tem sua recompensa: a vista de três estados brasileiros: Rio de Janeiro, Minas Gerais e São Paulo. A princesa Isabel foi a primeira mulher a chegar até lá. Entrou para a história por outra razão, ao decretar o fim da escravatura.

Quem gosta de programas menos radicais pode se banhar na cachoeira Véu de Noiva, uma queda-d'água com 40 metros de altura. Seu nome se deve à espuma branca que cai pelas rochas. As águas são transparentes, límpidas e de baixa temperatura. Outras opções são as cachoeiras Itaporani, com três quedas-d'água, e a Poranga, na qual o volume de água é grande.

Para se contemplar uma bela vista da mais famosa atração de Itatiaia, o parque Nacional, o mais indicado é visitar o mirante O Último Adeus, a 810 metros de altura. Pode-se ir mais alto, até as Prateleiras, a 2.548 metros do nível do mar. Nas proximidades, há formações rochosas que lembram figuras e, por isso, foram batizadas com nomes como pedra da Tartaruga e pedra da Maçã.

A good part of the land of Itatiaia belonged to the Baron of Mauá, a historic Brazilian figure who, in being more concerned with the opening of the railways than with the only crop of the region, coffee, unintentionally preserved the natural characteristics of the area. In doing so, he gave Brazil its first ecological reserve, the Itatiaia National Park. The reserve now is 30,000 hectares in area, more than double the original 12,000, and offers an infrastructure that allows the tourist to get to know the Mata Atlântica tropical forest.

Within its domain is the Mantiqueira mountain range, with the highest point in the state, the Pico das Agulhas Negras (Peak of the Black Needles). With a height of 2,787 meters, this is the seventh highest mountain in the country. Those who make it to the top are well rewarded with a view of three Brazilian states: Rio de Janeiro, Minas Gerais and São Paulo. Princess Isabel, Dom Pedro II's daughter, was the first woman to make the climb successfully. She made history for another reason when she signed the Act that ended slavery.

For those who like their leisure a little less extreme, they can bathe in the Cachoeira Véu de Noiva waterfall (Bride's Veil), with a drop of water of 40 meters in height. A white foam, which reminds one of the gauzy fabric that lends the fall its name, descends over the rocks. The waters are transparent, clear and cold. Other options are the Itaporani waterfalls with three water drops, and Poranga waterfall with its large volumes of water.

To contemplate a beautiful view from the most famous attraction in Itatiaia, the National Park, one should visit the Mirante O Último Adeus (The Last Good-bye View), at 810 meters in height. You can go higher, to the Prateleiras (Shelves), at 2,548 meters above sea level. Many rocky formations in the area look like figures and, for this reason, they have been given names like Pedra da Tartaruga (Turtle Stone) and Pedra da Maçã (Apple Stone).

Parque nacional de Itatiaia – vista do mirante O último adeus | Itatiaia National Park – view from the Last Good-bye belvedere

Amarilis (*Amaryllidaceae*) | Amaryllis

Cachoeira Véu de Noiva | The Bride's Veil Watefall

Prateleiras (página anterior e no alto | facing page and top)

Pico das Agulhas Negras (acima) | Peak of the Black Needles (bottom)

PeNedo

Finlândia é um país frio do Norte da Europa, mas um pedacinho dela fica em Penedo – um pequeno e aprazível distrito de Resende. O local não passava de uma grande fazenda de café que acabou sendo adquirida, no início do século XX, por um grupo de finlandeses interessados em montar ali uma colônia agrícola, sonho que não conseguiu ir adiante.

Penedo vive hoje inteiramente voltada para o turismo. A rede hoteleira local é variada, os restaurantes são especializados em trutas e *fondues*, e não faltam rios, cachoeiras e piscinas naturais para a visitação. Outra atração da cidade é a sauna, uma tradição finlandesa, e as duchas, abastecidas diretamente pelo rio das Pedras, que corta todo o vale de Penedo. Como a vila é muito pequena, não é necessário usar automóvel para conhecê-la. Melhor mesmo é alugar um cavalo.

Além dos atrativos naturais, como a cachoeira de Deus, a maior queda-d'água do local, vale a pena conhecer a Pequena Finlândia, conjunto de sobrados típicos, pintados de cores variadas, que lembra uma cidade do interior daquele país. As construções abrigam lojas para a exposição de produtos artesanais, restaurantes, cafés, chocolataria e a Casa do Papai Noel, que encanta especialmente as crianças. Nas noites de sábado, um programa obrigatório é o baile do Clube Finlândia, com danças típicas do país escandinavo.

A piece of Finland can be found in Penedo, a small and pleasing district of Resende. This place was nothing more than a large coffee farm which ended up being acquired at the beginning of the twentieth century by a group of Finns wanting to found an agricultural settlement, but whose dreams were never realized.

Penedo lives wholly from tourism. The local hotels are varied, the restaurants are specialized in trout and fondues, and there is no shortage of rivers, waterfalls and natural pools to visit. Another attraction of the town is the sauna, a Finnish tradition, and the showers, straight from the River of Stones, which cuts through the whole of Penedo Valley. As the town is very small, and you do not need a car to see it, the best thing to do is to hire a horse.

Apart from the natural attractions, like the Waterfall of God, with the biggest drop of water in the area, it is worth seeing Little Finland, which is a group of multi-storey houses, painted in varied colors that remind one of a provincial Finnish town. The buildings have shops which sell mostly crafts and chocolate products, restaurants, cafés and Santa Claus's house, which charms the children especially. On Saturday nights, a must is to go to the Finland Club Ball, with typical Finnish dances.

Pequena Finlândia I Little Finland; Cachoeira de Deus I The Waterfall of God; Casa do Papai Noel I Santa Claus's House; Baile Finlandês, Clube Finlândia (abaixo) I The Finnish Ball, Finland Club (below)

VISCONDE DE MAUÁ

uma pequena comunidade de apenas 2,5 mil habitantes fica escondida no meio da serra da Mantiqueira, ao lado do pico das Agulhas Negras. E escondida não é força de expressão. Para se chegar a Visconde de Mauá é necessário enfrentar 37 quilômetros de estrada de terra – em parte asfaltada –, estreita, sinuosa e sujeita a quedas de barreiras nos meses de chuva. Mas quem se aventura não se arrepende. O local, que já foi paraíso *hippie* nos anos 70, é extremamente bucólico e conserva muito da vida simples das cidades do interior. Também é agradável para os esotéricos, há quem jure que duendes, gnomos e afins habitam a região.

O distrito é dividido em pequenas vilas. A que oferece maior infra-estrutura turística é Maringá, onde é maior a concentração de pousadas, hotéis, chalés, restaurantes e lojas. Já a Maromba, com seu perfil *hippie*, atrai os mais jovens.

As cachoeiras são muitas. O poço do Marimbondo é um espetáculo de 40 metros de queda livre. Já a cachoeira do Escorrega não é tão grande, mas o salto de 10 metros é sobre uma rocha lisa, que permite que os banhistas escorreguem até a piscina natural onde deságua. Outra que vale a pena conhecer é a de Santa Clara, com salto de 20 metros de altura, no vale com o mesmo nome. Os vales, aliás, são muitos na região. Neles, se pode observar toda a beleza da vegetação. Uns são amplos e ensolarados, como o vale das Cruzes. Outros são emoldurados por altas montanhas com densa vegetação, como o do Pavão. O pico da pedra Selada, com seus 1,3 mil metros de altura, oferece uma bela vista de dois outros vales, o do Paraíba e o do Rio Preto.

A small community of just 2,500 inhabitants is hidden in the middle of the Mantiqueira mountain range, just beside Pico das Agulhas Negras (Black Needles Peak). And "hidden" is no mere expression here. In order to get to Visconde de Mauá you have to face 37 kilometers of rough road, only some of it asphalted, which is narrow, winding and subject to landslides in the rainy season. But those who do take the chance do not regret it. This place, which was a hippie haven in the seventies, is extremely bucolic and preserves much of the simple provincial life. It is also attractive for those with an esoteric bent. Some of them swear there are goblins, gnomes and the like inhabiting the area.

The district is divided in small villages. The one with most tourist infra-structure is Maringá, where there is the highest concentration of bed and breakfasts, hotels, chalets, restaurants and shops. Whereas Maromba, with its hippie profile, attracts younger people.

There are many waterfalls. The Cachoeira do Marimbondo (Hornet's Fall) has a spectacular 40 meter drop of water, whereas the Cachoeira do Escorrega (Slide Waterfall) is smaller, but its 10 meter drop takes flows over a smooth stone, which allows bathers to slide down into the fall's pool. Another one worth seeing is the Santa Clara Fall with a 20 meter drop in the valley with the same name. In fact, there are many valleys in the region and all the beauty of the vegetation can be seen in them. Some are wide and sunny like Vale das Cruzes (Valley of the Crosses). Others are bordered by high mountains with dense vegetation like Vale do Pavão (Peacock Valley). The Pico da Pedra Selada (Sealed Stone Peak), at 1,300 meters in height, offers a beautiful view of two other valleys, the Paraíba and the Rio Preto valleys.

Maromba

Pedra Selada | Sealed Stone

Chalé de pousada em Maringá | Bed and breakfast chalet in Maringá
Duende, artesanato local | Locally hand-crafted goblin

77

Praça da Maromba | The square in Maromba

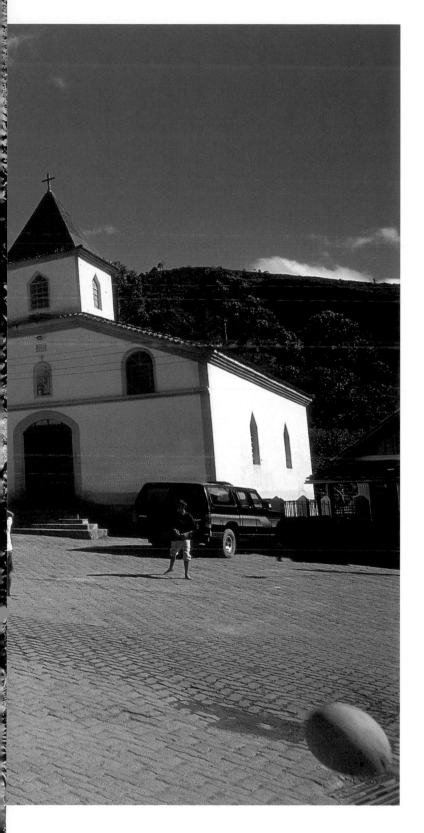

Vale do Pavão | Pavão Valley
Vale das Flores | Flower Valley

79

Seresta (acima | above)

Museu da Seresta e Serenata | Seresta e Serenata Museum

conservatória

Seu nome é no feminino, porém seria mais justo que fosse no masculino, já que Conservatória é um verdadeiro conservatório da Música Popular Brasileira. As belezas naturais, como cachoeiras, picos e rios, são muitas, mas são ainda mais numerosos os museus dedicados à música, como o Vicente Celestino, o Sílvio Caldas, o Gilberto Alves, o Guilherme de Brito, o Nélson Gonçalves, e o da Seresta e Serenata, tradições do local. Conservatória é tão ligada à música, que mais de 400 casas foram batizadas com o nome de canções populares.

Além da música, Conservatória oferece outros atrativos, como a igreja matriz de Santo Antônio do Rio Bonito, construída em 1850. Há também o Túnel que Chora, aberto em 1880 pelos escravos em rocha bruta, todo iluminado com lampiões e com o calçamento em pé-de-moleque.

Conservatória is a true repository of Brazilian popular music. The natural beauties, such as waterfalls, peaks and rivers, are many, but the museums dedicated to music are even more numerous. Among them are the Vicente Celestino, the Sílvio Caldas, Gilberto Alves, Guilherme de Brito and Nélson Gonçalves and also the Seresta e Serenata, named after traditional music genres of the area. Music has such a presence in Conservatória that more than 400 of its houses have been named after popular songs.

Besides music, Conservatória offers other attractions, like the parish church of Santo Antônio do Rio Bonito, built in 1850. There is also the Túnel que Chora (Weeping Tunnel), opened in 1880 and cut by slaves from raw stone, which is illuminated with now antique street lamps and paved in rough *pé-de-moleque*-style cobblestones.

Jardim do Nêgo | Nêgo Garden

novafriburgo

Primeiro vieram os suíços, que desembarcaram no país transportados em sete veleiros, em 1819, depois os alemães, os italianos, os espanhóis, os portugueses, os libaneses e os japoneses. Eles vieram originalmente para trabalhar no campo, mas no início do século passado começaram a se dedicar à indústria têxtil e hoje a cidade é conhecida pela produção de lingerie.

As nascentes de Macaé de Cima e do rio Grande descem em corredeiras com suas águas geladas até encontrar o rio Macaé, repleto de quedas-d'água e piscinas naturais, como o poço Feio, injustamente batizado. O poço está localizado na entrada de Lumiar, vila que os esotéricos e os amantes da meditação não podem deixar de conhecer, e tem até uma praia com 40 metros de extensão. Ainda dentro dos limites de Lumiar, vale a pena testemunhar o encontro dos rios. O Bonito deságua no Macaé numa queda de 15 metros.

Uma das grandes atrações do centro de Friburgo é o teleférico que leva os turistas da praça do Suspiro até o alto do morro da Cruz, de onde sem tem uma das mais belas vistas da cidade. É o maior do gênero no Brasil, com 1.450 metros de extensão. Quem achar que isso não é adrenalina suficiente pode optar pelo *trekking* – a aventura mais popular é a subida da pedra Riscada, que liga Lumiar a Casemiro de Abreu –, pelo *rafting* ou pelo popular bóiacross, no qual o bote é uma câmara de ar de pneus de caminhão, ônibus ou trator.

A influência suíça pode ser constatada em muitas construções em forma de chalés, como o do conselheiro Julius Arp. O paisagismo também é uma marca da cidade, como pode ser conferido numa visita ao Nova Friburgo Country Clube, cujo parque, projetado por Glaziou, tem lagos artificiais e árvores frutíferas raras. Igualmente belo é o jardim do Nêgo, onde Geraldo Simplício, seu dono, transforma barrancos em obras de arte.

First came the Swiss, who first arrived in the country in 1819. Then there were the Germans, the Italians, the Spanish, the Portuguese, the Lebanese and the Japanese. They were farmers when they established themselves here and then, at the beginning of the last century, they moved into the textile industry. Today the city is known for producing lingerie.

The sources of the Upper Macaé and the Grande rivers descend rapidly with their icy waters until they reach the Macaé river with lots of waterfalls and natural pools, such as the Poço Feio or Ugly Pool, which has been unfairly named. It is located at the entrance to Lumiar, a village that lovers of esotericism and meditation should not miss, and which has a 40 meter-long beach. Also within the limits of Lumiar there is the Encontro dos Rios (Meeting of the Rivers), where the Bonito joins the Macaé with a drop of 15 meters.

One of the big attractions of the center of Friburgo is the cable car which takes tourists from the Praça do Suspiro to the top of the Morro da Cruz, from where there is one of the most beautiful views of the city. The cable car is the largest of its type in Brazil, with an extension of 1,450 meters. Those who think this is not enough adrenaline can opt for trekking — in which the most popular adventure is to go up the Pedra Riscada, in the border between Lumiar and Casemiro de Abreu — for rafting or for the popular *bóiacross*, where the boat is an inflated tire from a truck, bus or tractor.

The Swiss influence can be seen in many buildings in the form of chalets, like that of the *conselheiro* Julius Arp. Landscape art is also a trade mark of the city, as can be seen by visiting the Nova Friburgo Country Club, whose park, designed by Glaziou, boasts artificial lakes and rare fruit trees. Equally beautiful is the Nêgo Garden, where Geraldo Simplício, its owner, transforms stones shaped by erosion grooves into works of art.

Parque estadual dos Três Picos I Três Picos State Park

Encontro dos rios Bonito e Macaé, Lumiar I Meeting of the rivers Bonito and Macaé, Lumiar

Artur, criador de cabras e artesão, Lumiar I Artur, a goat farmer and craftsman

sana

esse pequeno distrito de Macaé vive da produção da banana e da exploração do turismo. O ambiente em Sana é tão familiar que até as cachoeiras formam uma família. A da Mãe é a mais conhecida do local e é ideal para quem gosta de um mergulho. O poço tem visibilidade de até 3 metros e junto a ele há uma pedra de 12 metros que serve de trampolim. Mais acima, estão a do Pai, de difícil acesso com queda de 16 metros de altura, e a do Filho, um pequeno, mas radical, tobogã. Os mais aventureiros costumam ir até o Pai e descer ao sabor das águas até a Mãe, passando pelo Filho. Outra cachoeira famosa na região é a das Sete Quedas, na qual a água desce por uma escadaria de pedras de sete degraus.

Ainda no quesito aventura, vale conhecer o pico do Peito do Pombo. São quatro horas de caminhada – fácil no início e bem radical no fim – até chegar a essa rocha. Do alto, dá para ver o litoral de Macaé, Rio das Ostras, Barra de São João, Búzios e Cabo Frio. No mais, é aproveitar a calma de uma comunidade de 1,2 mil habitantes, para fazer passeios a cavalo e passar o tempo desfrutando as maravilhas da fauna e flora locais.

This small district of Macaé earns its living from banana production and tourism. The ambiance in Sana is so familiar that even the waterfalls make up a family. Mãe (Mother) is the best known in the area and is ideal for those who like to bathe. Its well has a visible depth of up to 3 meters, and above it a 12 meter stone serves as a diving platform. Above that there are those of the Pai (Father) and of the Filho (Son). Pai is difficult to get to and has a 16 meter vertical drop of water, while Filho is in the shape of a small, but steep slide. Those who are more adventurous usually go to Pai, and then go down to the waters of Mãe by way of Filho. Another famous waterfall of the region is Sete Quedas (Seven Falls) with its set of seven stone steps.

Staying with the adventurous theme, there is the Pico do Peito do Pombo. It is a four hour walk to get there which is gentle at the beginning and much harder towards the end. From the top, the Macaé coast, Rio das Ostras, Barra de São João, Búzios and Cabo Frio can be seen. Apart from this, the tranquillity of a community of 1,200 inhabitants can be soaked up by horseback riding and observing the local fauna and flora.

Cachoeira das Sete Quedas | Seven Falls; Ponte | Bridge

Trilha para o pico do Peito do Pombo | Trail leading to Dove's Chest Peak |

Pico do Peito do Pombo I Dove's Chest Peak

Casa no centro do arraial do Sana | A house in Arraial do Sana

Pico do Peito do Pombo | Dove's Chest Peak

costaverde

EMERALD COAST

Ilha Botinas | Botinas Island

O nome da região não poderia ser mais acertado. Lá, tudo é verde. A começar pela Mata Atlântica da serra do Mar que "deságua" num extenso litoral de águas igualmente verdes, levando consigo inúmeros rios que nascem nas áreas mais altas do estado. Entre as montanhas e o mar, uma faixa de terra não muito larga, na qual foram fundados núcleos habitacionais logo nos primeiros momentos da colonização portuguesa. Longe do burburinho dos grandes centros urbanos, algumas cidades conseguiram preservar seu patrimônio histórico, acrescentando à região um atrativo a mais, além da exuberante beleza natural.

O conjunto arquitetônico colonial de Paraty, por exemplo, faz a cidade sonhar com o título de Patrimônio Cultural da Humanidade, concedido pela Unesco. Embora de forma menos concentrada, Angra dos Reis também

The name of the region could not be more accurate – everything is green there, from the Atlantic Forest of the Serra do Mar where the water runs off along the whole coast into similarly green waters, and from countless rivers that spring from the highest areas of the state. The first villages were established soon after the first Portuguese colonization between the mountains and the sea in a rather narrow strip of land. Far from the buzz of the large urban centers, some towns have managed to preserve their historic heritage, giving the region another attraction, apart from the exuberant natural beauty.

The colonial architecture of Paraty, for example, makes the town dream of the title of Cultural Heritage of Humanity awarded by UNESCO. Angra dos Reis, in a less concentrated form, also maintains a valuable heritage. Mangaratiba also preserves

guarda um acervo valioso. Já Mangaratiba ainda conserva trechos da mais antiga estrada pavimentada brasileira, que a ligava a São João Marcos.

Obviamente, o legado histórico-cultural da região, por mais relevante que seja, não tem como suplantar sua beleza natural. Como se não bastassem os encantos da costa, as enseadas são salpicadas de ilhas de todos os tamanhos e tipos, como a ilha Grande. Famosa não só pelo tamanho que lhe deu o nome, o local é um paraíso ecológico repleto de praias selvagens, onde a vida transcorre de forma simples.

Tendo o turismo como principal fonte de renda, a região tem uma rede hoteleira tão diversificada quanto a natureza que a envolve. Dos *resorts* de luxo de Angra dos Reis aos *camping*s de Mangaratiba, passando pelas pousadas aconchegantes de Paraty e ilha Grande.

stretches of the oldest paved road in the country connecting it to São João Marcos.

Obviously, the historical and cultural heritage of the region, however relevant it may be, cannot substitute its natural beauty. As if the charm of the coast were not enough, the bays are dotted with islands of every size and shape, such as Ilha Grande. This place is famous not just for the size which gave it its name, but is also an ecological paradise, brimming with wild beaches, where life runs more simply.

With tourism as the main source of income, the region has a diversified range of hotels as the nature to be found there from the luxury resorts of Angra dos Reis to the camp sites of Mangaratiba, through to the homely pousadas (bed and breakfasts) of Paraty and Ilha Grande.

Paraty

antes de pensar em conhecer as belezas naturais da cidade, é melhor passar horas caminhando sobre o antigo calçamento de pé-de-moleque do centro de Paraty. O conjunto arquitetônico, erguido nos séculos XVIII e XIX, é uma viagem no tempo. A cidade teve um planejamento urbano detalhado. As ruas são inclinadas em direção ao mar, criando um curioso sistema de limpeza. Com a maré alta, as águas penetram nas ruas, que se transformam em pequenos canais. Quando a maré baixa, o mar leva a sujeira embora.

São poucas as praias urbanas, como a do Pontal. Para se chegar a outros locais de banho de mar é preciso enfrentar alguns quilômetros de estrada ou uma agradável viagem de barco, o que proporciona também conhecer as muitas ilhas ao redor. De barco, chega-se a praias paradisíacas, como a Martins de Sá, a três horas do centro histórico. Pelo mar, ou por trilha, encontra-se a praia do Cachadaço, na vila de Trindade, com sua piscina natural formada por pedras vulcânicas, que é considerada uma das mais belas praias da região.

Para quem preferir o mato ao mar, Paraty também tem passeios inesquecíveis pelo parque nacional da serra da Bocaina e pelo parque estadual Paraty-Mirim. Como a serra era caminho para escoar o ouro extraído de Minas Gerais, é possível encontrar, em meio à densa vegetação, vestígios do antigo Caminho do Ouro, trechos de estrada de calçamento de pé-de-moleque bem semelhante ao do centro da cidade.

De volta ao centro histórico, com suas ruas protegidas com correntes para impedir o trânsito de veículos, é obrigatória uma visita às igrejas da cidade.

Há ainda um programa imperdível em Paraty: visitar um dos cinco engenhos de fabricação de cachaça, uma tradição desde o século XVIII. Hoje eles são poucos, mas todos funcionam artesanalmente, com roda d'água, moenda, barril de carvalho, fogão de cobre e fogo à lenha.

Before thinking of seeing the natural beauties of the town, it is worth spending some time walking over the old *pé-de-moleque* cobblestone paving of the center of Paraty. The architecture, built in the eighteenth and nineteenth centuries, is a journey through time. The town was planned in detail. The streets are inclined in the direction of the sea, creating a curious street cleaning system. With the high tide, the sea covers the streets, which are transformed into small canals. When the tide goes out, the sea takes the dirt away.

There are only a few beaches in the town itself, like Pontal Beach. To get to the other bathing places some kilometers of travel by road are required or otherwise a pleasant trip by boat also affording the opportunity to see some of the nearby islands. By boat, you can get to heavenly beaches, like Martins de Sá, three hours from the historic town center. By sea, or track, the Cachadaço Beach can be seen in Trindade village, with its natural swimming pool formed of volcanic stone, which is considered to be one of the most beautiful beaches in the region.

For those who prefer the bush to the sea, Paraty also offers unforgettable trips in the national park of Serra da Bocaina and in the State Park of Paraty-Mirim. As these mountains were the route for transporting gold extracted from the state of Minas Gerais, it is possible to find, in the midst of dense vegetation, remains of the old Caminho do Ouro (Gold Route), with stretches of *pé-de-moleque* cobblestone paving very similar to the town center's.

Returning to the historic center, with its streets protected by chains to impede the traffic of vehicles, a visit to the town's churches is obligatory.

There is still one unmissable stop in Paraty, to one of the five *cachaça,* or sugar cane rum, factories dating back to the eighteenth century. Today there are only a few, but they all work in the old tradition, with a water wheel, mill, oak barrel, copper cauldron and wood fire.

Porto de Paraty | Paraty port

Centro histórico (à esquerda e ao centro) | Historic town center (left and middle)

Capela de Nossa Senhora das Dores | Chapel of Nossa Senhora das Dores

Centro histórico | Historic town center

Cachaça artesanal | Traditionally made sugar-cane rum

Centro histórico (acima) | Historic town center (above); Mico-leão-dourado | Golden lion tamarin; Parque estadual Paraty-mirim | Paraty-Mirim State Park

Praia do Meio, Trindade

ILHAGRANDE

é preciso navegar por cerca de uma hora e meia, a partir de Angra dos Reis, cidade a qual pertence, ou de Mangaratiba, para se chegar à maior e mais exuberante ilha da Costa Verde, a ilha Grande. Ela foi a preferida de corsários ingleses, holandeses e franceses que traficavam ouro, negros e pau-brasil; abrigou o maior presídio de segurança máxima do Rio; e, parece até brincadeira, já foi até paulista. Hoje, de paulista ela só tem uma parte dos muitos turistas que recebe. A porta de entrada é a vila do Abraão, maior núcleo urbano da ilha e onde se localiza a maioria dos hotéis, pousadas e restaurantes. É nela que está o atracadouro por onde chegam os visitantes. Para conhecer todas as praias do local é melhor alugar um barco, já que algumas delas, para

It takes a boat ride of about an hour and a half from Angra dos Reis, to Ilha Grande, to which the island belongs, or from Mangaratiba, to reach this most exuberant island of the Emerald Coast. It was the preferred island for English, Dutch and French corsairs who traded gold, slaves and Brazil-wood timber; it had the largest maximum security prison in the state of Rio de Janeiro; and it even belonged to the state of São Paulo. Nowadays, of São Paulo all it has is some of the many tourists that it receives. The gateway to it is the village of Abraão, the largest urban center on the island where most of its hotels, *pousadas* (bed and breakfasts) and restaurants are. It is here that the boats that bring the visitors dock. To see all the beaches here you have to rent a

Lagoa azul | Blue Lagoon
Praia de Lopes Mendes (ao lado) | Lopes Mendes Beach (facing page)

serem desfrutadas, requerem grande esforço do visitante, que tem de se embrenhar por trilhas, às vezes, de difícil acesso.

Praias paradisíacas como a Lagoa Azul e a Lopes Mendes estão mais facilmente acessíveis por mar do que por terra. Entre as que valem a caminhada, estão as praias Grande das Palmas e Japariz. Para se ter idéia do esforço que é conhecer a ilha a pé, basta prestar atenção nas contas de seus moradores. Segundo eles, para dar uma volta completa são necessários três dias de caminhada. Isso se o aventureiro agüentar andar durante todo o dia sem parar para descansar. O pico do papagaio, a 982 metros de altitude e cercado por uma flora praticamente intocada, vale o sacrifício.

Mesmo não tendo por objetivo conhecer todas as praias, uma caminhada pode revelar maravilhas como as ruínas do Lazareto. Erguido em 1884, para funcionar como um centro de quarentena para passageiros doentes que desembarcavam no Brasil, o prédio serviu como hospital de 1886 até 1910. Em seguida, foi transformado em presídio e demolido em 1963 por ordem do governador do Estado.

boat. To take advantage of others requires great effort from the visitor, who has to find the way over tracks in the scrub making the beaches sometimes difficult to get to.

Heavenly beaches like Lagoa Azul and Lopes Mendes are accessed more easily by sea than by land. Amongst those worth the walk are Grande das Palmas and Japariz beaches. To get an idea of the effort to see the island on foot, listen to how those who live there figure it. According to them, to make a complete circuit of the island takes three days of walking. And that is if the adventurer can walk all day without stopping to rest. Pico do Papagaio (Parrot's Peak), with a height of 982 meters surronded by virtually untouched flora, is worth the sacrifice.

Even if your objective is not to see all the beaches, a walk can reveal marvels like the ruins of Lazareto. Built in 1884 as a quarantine center for sick passengers disembarking in Brazil, the building served as a hospital from 1886 until 1910. Then it was turned into a prison and was demolished in 1963 by order of the state governor.

Vista do Pico do Papagaio | View from Parrot's Peak

Cana-da-índia (*Canna denudata*) | Indian shot
Orquídea (*Cleites sp.*) | Orchid
Lantana-Cambará (*Lantana camara*) | South-American Lantana

Lagoa Azul | Blue Lagoon

angraDosreis

Quando os portugueses desembarcaram por lá, em 1502, apenas dois anos após o descobrimento, pensaram tratar-se de uma pequena enseada – sinônimo de angra. Mal sabiam eles que estavam em meio a um gigantesco complexo de oito baías, 365 ilhas e 2 mil praias. A vocação portuária da cidade em seus primeiros séculos de existência explica a forma que tomou a ocupação urbana local. Apesar de ter tantas belezas naturais no litoral, as moradias foram construídas afastadas da orla, ficando a costa reservada para receber as embarcações. Com o declínio da atividade portuária, o turismo ganhou impulso e as praias foram sendo ocupadas por condomínios e hotéis, como o do Frade.

When the Portuguese disembarked there, in 1502, just two years of the discovery of Brazil, they thought it was just a small cove , hence the name, Angra. Little did they realize they were in the middle of a gigantic complex of eight bays, 365 islands and 2,000 beaches. The vocation of the town as a port in its first centuries of existence explains the form of urban evolution of the area. In spite of so many natural beauties of the coast, the houses were built away from the sea, with the coast being reserved to receive the ships. With the decline of port activity, tourism boomed and the beaches were occupied by condominiums and hotels, such as the Frade Hotel.

As ilhas, algumas particulares, são a grande atração de Angra dos Reis. Existe uma para cada dia do ano. Algumas não têm praias, sendo indicadas principalmente para quem gosta de praticar a pesca submarina ou com isca. No entanto, a maioria apresenta trechos de areias brancas e ainda guarda outros atrativos, como as ilhas Botinas, onde se pode observar estrelas-do-mar. Duas outras ilhas também merecem menção, a de Cataguases e a da Gipóia. A primeira tem areias extremamente brancas e suas águas têm coloração azul-turquesa, contrastando com o verde-esmeralda que domina a região. A segunda é a mais famosa, tem praias com ondas fortes – boas para o surfe – e outras tranqüilas, como a da Piedade.

O rio Mambucaba é uma boa opção para quem gosta de *rafting*. A descida, de nível de dificuldade média, leva cerca de uma hora e meia.

Além das belezas naturais, Angra dos Reis têm diversas construções e peças de arte sacra tombadas pelo patrimônio cultural que valem uma visita, como as ruínas do antigo convento de São Bernardino de Sena, do século XVIII, e a capela de Santa Luzia, do século XVII, um dos mais antigos templos religiosos construídos em área urbana.

Ao contrário do que ocorreu em quase todo o litoral brasileiro, em Angra dos Reis ainda se registra a presença dos índios. A aldeia Sapukai, de índios guaranis m'bya, pode ser visitada, desde que se consiga autorização prévia. Seus habitantes são especialistas em artesanato tradicional, e as peças são vendidas na própria aldeia ou ao longo na BR-101, que liga a cidade ao Rio de Janeiro.

The islands, some of them privately owned, are a big attraction in Angra dos Reis. There is one for each day of the year. Some of them have no beaches, and are recommended mainly for those who like to fish while diving or with bait. However, most have beaches with white sands and have other attractions, such as Botinas Islands, where starfish can be seen. Two other islands are worthy of special mention, Cataguases and Gipóia. The former has extremely white sands and its waters are turquoise in color, in contrast with the emerald green which dominates the region. The latter is the most famous, having beaches with strong waves which are good for surfing and others with calm waters, such as Piedade (Piety).

The river Mambucaba is a good choice for those who like rafting. The descent, with average level of difficulty, takes about an hour and a half.

Apart from the natural beauty, Angra dos Reis has various buildings and sacred works of art with protected status as cultural heritage and are worth a visit, such as the ruins of the old convent of São Bernardino de Sena, from the eighteenth century, and the chapel of Santa Luzia, from the seventeenth century, one of the oldest religious buildings in the urban area.

In contrast to what has happened along almost all the Brazilian coast, in Angra dos Reis the presence of Indians can still be seen. The Sapukai village, of Guarani m'bya Indians, can be visited, provided that prior authorization is obtained. Its inhabitants are specialists in traditional crafts, and the pieces are sold in the village itself and along the BR-101 highway, linking the town with Rio de Janeiro.

Ilha de Cataguases | Cataguases Island

mangaratiba

Os principais atrativos de Mangaratiba estão além do continente. Três ilhas concentram praias de rara beleza que valem a pena ser visitadas. Itacuruçá é a mais próxima do continente e certamente a mais procurada. É lá que estão as praias Grande, de Águas Lindas, Cabeça de Boi e das Flexeiras, com suas águas límpidas e verdes. Embora seja tomada de casas de veraneio, a ilha tem hotéis para abrigar os turistas. Um pouco mais distante, fica a ilha de Jaguanum, onde estão as praias do Araçá e da Estopa. A mais bela de todas é a da Marambaia, que, por ser de propriedade da Marinha, só é possível visitar com autorização. A ilha de frente para Mangaratiba é a ponta da restinga da Marambaia, que tem 40 quilômetros de extensão e começa no Rio.

No continente, também há praias. Porém, um dos passeios mais interessantes é conhecer as ruínas que contam o apogeu econômico de Mangaratiba – na época do café, a cidade foi o principal porto de escoamento do produto do vale do Paraíba. A começar pelas que se encontram ao redor da estrada Imperial, a primeira estrada pavimentada do país, que ligava Mangaratiba à cidade de São João Marcos – hoje submersa pelas águas da represa de Ribeirão das Lajes. No sítio histórico da estrada Imperial, as ruínas mais importantes são as do Antigo Teatro – construção da primeira metade do século XIX, que se acredita ter sido local de entretenimento para os barões do café.

The main attractions of Mangaratiba are off the continent. Three islands have a concentration of beaches of rare beauty and are well worth visiting. Itacuruçá is the closest to the continent and is certainly the most highly sought after. On this island are the beaches of Grande, Águas Lindas, Cabeça de Boi (Ox's Head) and Flexeiras, with their clear and green waters. Although it is taken up with summer houses, the island has hotels which take in tourists. A little more distant, there is Jaguanum Island, with its Araçá and Estopa beaches. The most beautiful of all is Marambaia Beach, which, because it belongs to the Navy, can only be visited by special permission. The island in front of Mangaratiba is the tip of the Marambaia Sandbank, which is 40 kilometers long and begins in Rio.

There are also beaches on the continent. However, one of the most interesting trips is to see the ruins which tell of the economic peak of Mangaratiba, in the time of the coffee boom, when the town was the main port shipping the product from the Paraíba valley region. Start with those around the Imperial Road, the first paved road in the country, linking Mangaratiba to the town of São João Marcos. Nowadays this town is submerged in the waters of the Ribeirão das Lajes dam. At the historic site of the Imperial Road the most important ruins are those of the Antigo Teatro (Old Theater), which was built in the first half of the nineteenth century, and which is believed to have been the place of entertainment for coffee barons.

Praia de Mangaratiba | Mangaratiba Beach

rio de todas ascores

RIO IN ALL ITS COLORS

Corcovado, parque nacional da Floresta da Tijuca, com lagoa Rodrigo de Freitas ao fundo |
Corcovado with the Tijuca Forest National Park and, in the background, Lagoa Rodrigo de Freitas

Tudo bem que o Rio tem o Cristo Redentor a tomar conta da cidade do alto do Corcovado. Tem também os bondinhos do Pão de Açúcar que conduzem os visitantes a uma das mais belas vistas da baía de Guanabara. Isso sem falar de Copacabana, praia tão famosa que ganhou música em vários idiomas. Só que o Rio tem tudo isso e muito mais. E justamente esse muito mais que costuma passar despercebido pelos menos atentos.

De início, o Rio de Janeiro nasceu francês. Foi Nicolas Durand de Villegaignon, que, em 1555, escolheu o Rio para a fundação da França Antártica. Demorou dois anos para que os portugueses se dessem conta da presença estrangeira em suas terras. Mais oito anos de batalha, e a cidade de São Sebastião do Rio de Janeiro seria oficialmente fundada pelos portugueses. Os franceses ainda insistiram nos séculos XVII e XVIII, mas a guerra já estava perdida.

Como que para reafirmar a soberania sobre um dos mais belos territórios do Brasil, a Corte portuguesa, temendo os avanços de Napoleão, muda-se com toda a bagagem – incluindo a biblioteca real, que mais tarde se tornaria a base do acervo da Biblioteca Nacional – para o Brasil e se estabelece no Rio de Janeiro. O plano de D. João VI de fazer do Brasil a sede do governo português fracassou, no entanto, a tentativa transformou a cidade no mais cosmopolita núcleo urbano brasileiro.

No rastro de franceses e portugueses, o Rio ganhou um centro da cidade diversificado e bairros tradicionais. Niterói, que apesar de ser outro município, está separada do Rio por apenas uma ponte de 13 quilômetros e, como sede da primeira fortificação francesa, guarda preciosidades da história brasileira. Já a Zona Oeste, a última região de ocupação urbana da cidade, ainda conserva belas reservas da natureza exuberante que fez portugueses e franceses lutarem durante tantos anos pela posse dessas terras.

Yes, Rio has Christ the Redeemer to take care of the city from the heights of Corcovado and it also has the cable car at Pão de Açúcar which takes visitors to one of the most beautiful views of the Guanabara Bay. That is not to mention Copacabana, the beach which is so famous that it has songs in various languages written about it. But Rio has all this and so much more. It is exactly this "so much more" that usually passes unnoticed by the less perceptive.

In the beginning, Rio de Janeiro was born French. It was Nicolas Durand de Villegaignon, who, in 1555, chose Rio as the site where to found the French Antarctic. It was another two years before the Portuguese woke up to the foreign presence in their land and after a further eight years of battle the city of São Sebastião do Rio de Janeiro was officially founded by the Portuguese. The French kept insisting through the 17th and 18th centuries, but in fact they had already lost the war.

As if to reaffirm their sovereignty of one of the most beautiful territories of Brazil, the Portuguese Court, fearing the advance of Napoleon, moved here with all their baggage and established themselves in Rio de Janeiro. With them, the Court also brought the Royal Library, which would later form the basis of the collection of the National Library. The plan of Dom João VI to make Brazil the seat of the Portuguese government did not work out, but in the attempt the city was transformed into the most cosmopolitan Brazilian urban center.

In the wake of the French and Portuguese, Rio gained a diversified city center mixed with traditional suburbs. Niterói, which apart from being another municipality now separated from Rio by just a 13 kilometer bridge, as the place of the first French fortification, holds precious relics of Brazilian history. In the west side, the most recent region to be occupied by the urban spread of the city, there are still reserves of the exuberant nature that made the Portuguese and French fight for so many years over the ownership of these lands.

coração DORIO

THE HEART OF RIO

O Rio de Janeiro foi oficialmente fundado no bairro da Urca, em 1565, porque ali ficava o quartel-general de portugueses em luta contra os franceses. Mas bastou a expulsão dos gauleses para a cidade se transferir para o que hoje é chamado o Centro. O coração da vida carioca era o morro do Castelo, já demolido. Foi em volta dele que a cidade cresceu. Bem próximo à famosa colina, foi erguido o Paço Imperial. O conjunto de construções que o formavam já existia havia anos, mas uma reforma transformou-o, para se tornar a primeira casa da família real portuguesa. Quando esta se desloca para a Quinta da Boa Vista, o palácio continua em funcionamento, principalmente para as ocasiões solenes.

Rio de Janeiro was officially founded in the neighborhood of Urca, in 1565, because it was there that the Portuguese had their headquarters in the fight against the French. Once the French had been expelled, the city was transferred to what is now the Center. The heart of Carioca life was in the Morro do Castelo neighborhood, on a hill which has since been razed. It was around there that the city grew. Just next to this famous hill, the Paço Imperial or Imperial Palace was built. The group of buildings that constituted the Palace had long been there, but they were refurbished and transformed into the first home of the Portuguese Royal Family. When they later moved to Quinta da Boa Vista, the Palace continued to operate, but mainly for ceremonial occasions.

Vizinho à Praça XV e à rua Primeiro de Março, o Paço foi palco de alguns dos mais importantes acontecimentos da história brasileira. Ali, por exemplo, D. Pedro I falou ao povo no Dia do Fico, dando início a um dos mais surreais processos de independência que uma colônia já conheceu. A história está por toda a parte da construção, mas ela não é tudo.

Em 1985, o Paço Imperial foi transformado em um importante centro cultural. São galerias dedicadas à exposição de arte, uma sala de cinema, um espaço para a encenação de peças teatrais, para a realização de conferências e de concertos musicais, além de contar com uma biblioteca de 8 mil volumes. O Paço ainda tem uma livraria, uma loja de presentes e um restaurante.

No mesmo Centro que abriga o Paço, está a Confeitaria Colombo, um dos mais belos símbolos da *belle époque* tropical. Construída em 1894, a loja passou por algumas reformas, mas manteve a decoração *art nouveau* que a caracteriza desde 1913. Possui quatro andares e três salões decorados com oito espelhos belgas de 1,5 tonelada cada. A decoração elegante e, claro, a cozinha sofisticada, fizeram da confeitaria um marco da cidade, capaz de atrair tanto a intelectualidade carioca do início do século XX quanto o rei Alberto, da Bélgica, em 1920, e a rainha Elizabeth, da Inglaterra, em 1968.

Se existe um ponto que pode ser chamado de central no Rio, trata-se de Santa Teresa, bairro encarapitado num morro que dá acesso para as zonas Norte e Sul e para o Centro da cidade. Nele, o ritmo frenético que caracteriza a cidade torna-se mais lento. Até a velocidade dos carros diminui. Não é para menos, Santa Teresa é formado por ruas estreitas que, apesar de muitas vezes só permitir passagem de um carro, são mão dupla. O bairro é a sede dos bondes. Principal meio de transporte coletivo do Rio até a metade do século passado, atualmente o bonde só circula em Santa Teresa, fazendo a ligação do bairro com o Centro, num passeio pelo tempo.

Next to Praça XV and Primeiro de Março street, the Palace was the setting for some of the most important events in Brazilian history. For example, there Dom Pedro I spoke to the people saying he would remain in Brazil, giving rise to one of the most surreal processes of independence that any colony has known. In this building, the past is found in every nook, but it is not everything.

In 1985, the Paço Imperial was transformed into an important cultural center. There are galleries dedicated to exhibiting art, a movie theater, a space for putting on plays, conferences and musical concerts, as well as a library of 8,000 volumes. The Palace also has a bookshop, a gift shop and a restaurant.

In the Center, not far from the Palace, there is also the Confeitaria Colombo, one of the most beautiful symbols of the tropical *belle époque*. Built in 1894, the confectionary shop has undergone several refurbishments, but kept its *art nouveau* decoration which has characterized it since 1913. It has four floors and three rooms decorated with eight Belgian mirrors, each weighing 1.5 tonnes. The elegant decoration and, of course, the sophisticated cuisine, has made this confectionary into a landmark of the city, able to attract both the Carioca intellectuals at the beginning of the 20th century and King Albert of Belgium in 1920, as well as Queen Elizabeth II of England in 1968.

If there is one place that can be called central in Rio it is Santa Teresa, a neighborhood sitting on the top of a large hill giving access to the north and south sides and to the city center. The hectic pace which characterizes the city is slower here. Even the speed of the cars is slower, as Santa Teresa is made up of narrow streets, which are often only wide enough to let one car pass at a time, though they are not one-way streets. This neighborhood is the home to the *bondes,* or trams, which used to be the main means of public transport in Rio until fifty years ago. Now the trams only circulate between Santa Teresa and the Center, making a trip through time.

Hoje o bairro concentra uma bela porção de restaurantes típicos – de cozinha francesa, alemã, nordestina –, ateliês de arte e de artesanato, museus de acervo surpreendente e uma vida noturna boêmia. Tudo isso em meio à casarios dos séculos XIX e XX. Há também construções mais antigas, como o convento de Santa Teresa, cuja arquitetura data de 1750.

De Santa Teresa, é possível se avistar belas paisagens cariocas, verdadeiros cartões-postais do litoral ou do Centro. Um dos locais de onde a vista é imperdível é o parque das Ruínas. O lugar é o que restou do palacete Murtinho Nobre, que já recebeu visitantes ilustres como a bailarina Isadora Duncan.

Quem descer de Santa Teresa pelo Cosme Velho estará a poucos metros de um dos mais bucólicos espaços do Rio, o largo do Boticário. Seu nome veio de um militar que, nas horas vagas, se dedicava a fabricar ungüentos caseiros, em pleno século XIX. São apenas sete casas de fachadas coloniais. Fachadas mesmo. Com exceção de duas casas na entrada do largo, que são realmente do início do século XIX, as demais são na verdade dos anos 40, que obtiveram o tom histórico graças ao uso de material de demolição de construções genuinamente coloniais.

Cenográfico ou não, o largo do Boticário tem ainda uma outra atração. É um dos poucos locais onde o rio Carioca, que emprestou seu nome aos nascidos na cidade, pode ser visto correr a céu aberto.

Uma das mais belas heranças do tempo em que o Rio abrigava a Corte portuguesa é o Jardim Botânico. O cultivo das plantas começou pelas mãos do diretor da fábrica de pólvora, então localizada às margens da lagoa Rodrigo de Freitas. Em pouco tempo, D. João se apaixonou pela jardinagem e começou ele mesmo a plantar algumas espécies, como a série de palmeiras que até hoje ocupam toda a frente do parque.

Além das palmeiras-reais, o Jardim Botânico ainda tem plantas carnívoras, vitórias-régias e outras plantas exóticas em sua coleção. Por isso, é um dos locais

Santa Teresa boasts a high concentration of typical restaurants, French, German and the from North-east, arts and crafts workshops as well as art studios, museums with surprising collections and a Bohemian nightlife. All this amidst nineteenth and twentieth century houses, as well as much older buildings, like the convent of Santa Teresa, whose architecture dates from 1750.

From Santa Teresa one can see beautiful Carioca views, just like picture postcards of the coast or of the city center. One of the places with an unmissable view is the Parque das Ruínas (Ruins Park). This site is what remains of the Murtinho Nobre mansion, which once received illustrious visitors like the dancer Isadora Duncan.

If you leave Santa Teresa via Cosme Velho, you will be just a few steps away from one of the most bucolic spaces in Rio, the Largo do Boticário. The name of this small square came from a soldier who in his spare time, dedicated himself to producing home-made ointments in the nineteenth century. The *largo* is the site of just seven houses with colonial facades – just facades. Apart from only two houses dating from the beginning of the nineteenth century at the entrance to the *largo*, the rest are in fact from the 1940s, but manage to get their historic tone thanks to being built from the demolition material of buildings that genuinely were colonial.

Whether scenic or not, the *Largo* has another attraction. It is one of the few places where the Carioca River, whose name has been lent to those who are born here, can be seen flowing in the open.

One of the most beautiful legacies of the time when Rio housed the Portuguese Court is the Jardim Botânico (Botanical Gardens). Here, plant cultivation was begun by the director of a gunpowder factory situated on the banks of the Lagoa or Lake Rodrigo de Freitas. In a short time, Dom João fell in love with the garden and himself began to plant some species, like the series of royal palm trees which to this day take up the front of the park.

preferidos dos pesquisadores, que ainda podem freqüentar sua biblioteca com um acervo especializado. Para as crianças, além dos prazeres de um belo piquenique, ainda é possível brincar em *playgrounds* feitos de brinquedos rústicos de madeira.

De um lado, o azul do mar. Do outro, o verde das montanhas. Principalmente o da Floresta da Tijuca, a maior floresta urbana do mundo. Tão importante em seu conjunto ecológico que mereceu o título de patrimônio da humanidade e reserva da biosfera da Unesco. É um paraíso para os alpinistas que podem escolher entre o pico da Tijuca, o do Papagaio, o do Andaraí Maior e a pedra da Gávea.

Se hoje esse pulmão da cidade ainda está funcionando a contento, é graças ao esforço do major Manoel Gomes Archer, que, em 1861, começou o trabalho de reflorestamento da área, que já vinha sendo destruída havia anos pela ação predatória do homem.

Dois prolongamentos da vegetação que cobre a Floresta da Tijuca também merecem atenção. O primeiro é o parque da Cidade, uma antiga propriedade particular, atualmente pública, que abriga o museu da Cidade, em meio à flora e fauna típicas de áreas tropicais. O segundo é a reserva ecológica do Grajaú, com suas grutas, mirantes naturais, trilhas e áreas de lazer.

Apart from the palm trees, Jardim Botânico also has carnivorous plants, royal water platters and other exotic plants in its collection. For this reason it is one of the preferred stops for researchers, who can also use the library with its specialized collection. For children, apart from the pleasures of a fine picnic, there are the playgrounds with toys made of rustic wood.

Wherever you are in Rio, on the one side there is the blue sea and on the other there is the green of the mountains, especially Floresta da Tijuca (Tijuca Forest), the largest urban forest in the world. Such is its importance in ecological terms that it has been given the title of heritage to humanity and UNESCO bio-sphere reserve. It is a paradise for climbers who can choose between the peaks of Tijuca, Papagaio (Parrot), Andaraí Maior and the *Pedra* or stone of Gávea.

If this lung for the city is working well these days, it is thanks to the efforts of Major Manoel Gomes Archer, who, in 1861, began the work of reforesting the area which had been destroyed many years earlier by man's predatory activities.

Two outposts of the same type of vegetation as the Tijuca Forest's also deserve special mention. The first is the Parque da Cidade (City Park), an old private property which is now publicly owned, housing the Museu da Cidade (City Museum), in the middle of typically tropical flora and fauna. The second is the ecological reserve of Grajaú, with its grottos, natural belvederes, trails and leisure areas.

Baía da Guanabara vista da fortaleza de Santa Cruz | Guanabara Bay seen from Santa Cruz Fortress

Largo do Boticário
Confeitaria Colombo (página ao lado | facing page)

Vista do parque das Ruínas, Santa Teresa I View from Ruins Park, Santa Teresa

Santa Teresa

146

Pico do Papagaio, Floresta da Tijuca | Parrot's Peak, Tijuca Forest

Pico do Papagaio, Floresta da Tijuca | Parrot's Peak, Tijuca Forest

Morro da Cocanha e pedra da Gávea ao fundo, Floresta da Tijuca (acima) | Morro da Cocanha Hill and Pedra da Gávea Rock, in the background, Tijuca Forest (above)

Morro da Babilônia e Pão de Açucar ao fundo, Urca | Morro da Babilônia Hill and Sugar Loaf Mountain, in the background

DOOUTROLaDODaPONTE

a pesar de não ser de forma legítima – trata-se de um outro município –, Niterói merece, nem que seja por proximidade, o título de carioca. Sendo assim, tomando-se uma pequena licença geográfica, pode-se dizer que foi lá que o Rio nasceu, uma década antes de ter sido fundado por Estácio de Sá na Urca. O local exato é a fortaleza de Santa Cruz, num dos lados da boca da baía de Guanabara – do outro lado está o forte São João – na Urca. Erguida pelos franceses, em 1555, para controlar a entrada e saída da baía, foi tomada pelos portugueses dois anos depois. Em 1710, caiu novamente nas mãos dos franceses, que só a deixaram após o pagamento de resgate.

Niterói deserves to be Carioca, even if only because of its proximity to Rio, though strictly speaking it belongs to another municipality. Thus, with a little geographical licence, it could be said that Rio was born there, a decade before actually being founded by Estácio de Sá in Urca. The exact birth place is at the Santa Cruz fortress, on one of the sides of the mouth of the Guanabara Bay, opposite the São João fort, in Urca. Built by the French in 1555 to control the entry and exit of the bay, the Santa Cruz fortress was taken by the Portuguese two years later. In 1710, it fell once more into the hands of the French, who only left it after a ransom had beem paid.

Cada novo proprietário adicionou novos elementos e, obviamente, novos canhões à fortificação. Hoje, ela ainda está nas mãos do Exército, porém, no lugar de disparar tiros, recebe turistas em visitas guiadas por seus labirintos, que abrigaram diversos presos políticos brasileiros. Da fortaleza, tem-se uma bela vista da baía de Guanabara, que está longe de ser a "boca banguela" descrita por Lévi-Strauss.

Niterói é cenário de praias oceânicas lindíssimas, que ficam no meio do caminho entre o litoral carioca e a Região dos Lagos. Quatro se destacam: Itacoatiara, Sossego, Camboinhas e Itaipu. Não há surfista que não conheça Itacoatiara, de águas transparentes, azuladas, frias, e de ondas fortes e de boa formação. Já em Camboinhas, a coloração da água é esverdeada. As ondas também são fortes, mas não têm tão boa formação. Envolvida por centenas de residências luxuosas, é uma praia ideal para quem quer ter a sensação de estar de férias numa área de veraneio a poucos quilômetros do Rio. Separada de Camboinhas por um canal, está Itaipu, que ao contrário de sua vizinha é uma piscina. Na beira da praia estão as casas simples da colônia de pescadores e bares com petiscos inigualáveis. De Itaipu, tem-se uma vista frontal da praia de Copacabana, no Rio. Um local perfeito para quem quiser ver outro ângulo da mais famosa queima de fogos do *réveillon* brasileiro.

A poucos metros da praia está o museu Arqueológico de Itaipu, instalado nas ruínas do abrigo de Santa Teresa, de 1764. O espaço é destinado a objetos dos povos que viveram na região antes de 1500. O material em exposição – machados, pontas de ossos e peças de cerâmicas – comprova a existência de povos indígenas no local há pelo menos 8 mil anos.

Each new owner added new elements and, obviously, new canons to the fortification. Nowadays it is till in the hands of the army, but instead of firing shots, they give guided tours to visitors in the labyrinths which once housed political prisoners. From the fortress there is a fantastic view of Guanabara Bay, which is a long way from being the "toothless mouth" described by Lévi-Strauss.

Niterói is the scene of very beautiful oceanic beaches midway between the Carioca coast and the Lakes Region. Four of them stand out: Itacoatiara, Sossego, Camboinhas and Itaipu. There is no surfer who does not know Itacoatiara, with its transparent, blue, cold waters, and strong, well-formed waves. In Camboinhas, the water is green-colored and the waves are also strong, but are not so well-formed. Surrounded by hundreds of luxury homes, it is an ideal beach for those looking for the sensation of being on holiday in a summer resort just a few kilometers from Rio. Separated from Camboinhas by a canal, Itaipu is a pool in comparison with its neighbor. At the edge of the beach are the simple houses of fishermen and bars with unrivalled snacks. From Itaipu, there is a frontal view of Copacabana Beach, in Rio. It is a perfect place for those who want to see Brazil's most famous new year's firework display from another angle.

A few meters from the beach is the Itaipu Archeological Museum, installed in the ruins of Santa Teresa's shelter, dating from 1764. The space exhibits objects of the people who lived in the region before 1500. The exhibition material, machetes, bone arrowheads and pieces of pottery, prove that indigenous people had been in the area for at least 8,000 years.

154   Costão de ItacoatiaraI Wild Itacoatiara coast line

155

Praia de Itaipu | Itaipu Beach
Praia de Camboinhas | Camboinhas Beach

Ruínas do abrigo de Santa Teresa | Ruins of the Santa Teresa Shelter

Vista da baía de Guanabara, com fortaleza de Santa Cruz e serra da Carioca ao fundo |
View of Guanabara Bay with Santa Cruz Fortress and the Serra da Carioca mountain range in the background

rumoàzonaoeste

WESTWARD HO!

Quando o Rio – espremido entre o mar e a montanha – começou a não ter mais para onde crescer, o carioca descobriu a Zona Oeste, região na qual a urbanização teve início somente na década de 1970. Ao ocupá-la, os cariocas incorporaram lindas praias à paisagem cotidiana da cidade. Com isso, desenhou-se mais um roteiro encanta-turista. Sempre pelo litoral, é possível ir da Barra da Tijuca a Grumari, passando pelo Recreio, Macumba e Prainha. Mais à frente, chega-se à Barra e à Pedra de Guaratiba.

Longe das raízes portuguesas e francesas do resto da cidade, é difícil não pensar em Miami quando se chega à Barra da Tijuca, bairro dos condomínios fechados,

When Rio, squeezed between sea and mountains, began to have nowhere else to grow, the Cariocas discovered the Western Zone, which began to be urbanized as recently as the 1970s. With the occupation of this region, Cariocas incorporated beautiful beaches to the everyday landscape of the city, and as such, designed yet another place to charm the tourists. Keeping to the coast, it is possible to go from Barra da Tijuca to Grumari, passing through Recreio, Macumba and Prainha. Futher on, you get to the Barra and to the Pedra de Guaratiba.

Far from the Portuguese and French roots of the rest of the city, when you reach Barra da Tijuca, a neighborhood of closed condominiums, wide avenues and a paradise of shopping malls, it is

Lagoa de Marapendi, Barra da Tijuca | Marapendi Lake

largas avenidas e paraíso dos *shoppings center*. A praia, com 18 quilômetros de extensão, é a maior e uma das mais belas do Rio. Seguindo pela estrada da Joatinga, não se pode deixar de conhecer a praia da Joatinga, ideal para o surfe.

Além das características urbanas próprias e da praia, a Barra ainda abriga alguns parques e a lagoa de Marapendi. Trata-se, na verdade, de um complexo de cinco lagoas que serve de lar até para os jacarés-de-papo-amarelo. A flora que a rodeia é parcialmente preservada, tornando a paisagem ainda mais bonita.

O Recreio está para a Barra da Tijuca, assim como o Leblon está para Ipanema. Um bairro é continuação do outro. As praias também são contíguas. Mas, além da principal, que leva o mesmo nome do bairro, ainda há a da Macumba, logo após o Pontal do Recreio, a Prainha, a mais indicada das praias cariocas para a prática do surfe e administrada pelos próprios surfistas, e a de Grumari, localizada dentro de uma área de preservação ambiental na qual a vegetação está intacta e as construções são proibidas.

Continuando o passeio encanta-turista. É hora de deixar por momentos o litoral e pegar uma pequena e sinuosa estrada que corta o morro atrás de Grumari e conduz à Barra de Guaratiba, pequena vila de pescadores com apenas duas praias de águas calmas, a Grande e a do Canto. Duas se contarmos as abertas ao público, porque é na Barra de Guaratiba que começa a mais bela praia do Rio, a restinga da Marambaia, por onde só os militares podem circular. Se de todo impossibilitado de conhecer a restinga de perto, pelo menos pode-se vê-la de longe. No alto da estrada entre Grumari e Barra de Guaratiba, um restaurante serve de mirante para esse belo acidente geográfico. Pouco depois da Barra, está a Pedra de Guaratiba, que, com suas praias desertas, é um convite para os amantes do turismo ecológico.

Há ainda outra forma de se chegar à Barra de Guaratiba. Sobe-se a Grota Funda e, ao descer, pega-se

difficult not to think of Miami. The 18-kilometer-long beach of Barra da Tijuca is the largest and one of the most attractive of Rio. Further along the Joatinga road, you should not miss Joatinga Beach wich is ideal for surfing.

Aside from the its own urban characteristics and the beach, Barra also has some parks and the Marapendi Lake. In fact it is a complex of five lakes, which are home even to the broad-snouted cayman. The flora which surrounds it is partially preserved, and makes the landscape even prettier.

The neighhorhood of Recreio is to Barra da Tijuca as Leblon is to Ipanema – one neighborhood is a continuation of the other. The beaches are also adjacent. But apart from the main beach, which has the same name as the neighborhood, there is also that of Macumba, just after Pontal do Recreio, and Prainha, which is the most highly recommended for surfing and is run by the surfers themselves. Then there is Grumari, situated within an environmental preservation area, whose vegetation is intact and where building is forbidden.

Continuing our trip through the tourist spots, we now leave the coast for a while to take a small and winding road that cuts through the hill behind Grumari, and head towards Barra de Guaratiba. This is a small fishing village with just two beaches with calm waters, Grande and Canto. That is, just two beaches counting those that are open to the public, as it is in Barra de Guaratiba that the most beautiful beach in Rio begins, the Marambaia Sandbank, which is a military restricted zone. Though it is impossible to see it close up, the area can be seen from a distance. At the heights of the road between Grumari and Barra de Guaratiba, there is a restaurant which serves as a belvedere for this beautiful geographical accident. Just the other side of Barra, is Pedra de Guaratiba, which, with its deserted beaches, is an invitation to the lovers of ecological tourism.

There is another way to reach Barra de Guaratiba. Climb the Grota Funda, and then when you go down,

uma estrada à esquerda, onde se encontram dezenas de restaurantes de frutos do mar, servidos sempre frescos, e o sítio Roberto Burle Marx. Paisagista premiado mundo afora, desenhista, pintor, escultor, tapeceiro, ceramista, entre outras habilidades, Burle Marx organizou, numa área de 365 mil metros quadrados, uma bela coleção superior a 3,5 mil espécies de plantas, muitas delas em extinção. Além dos jardins, a casa em si, com a coleção de obras de arte do paisagista, também é uma atração. No entanto, para conhecer esse paraíso, é preciso marcar a visita com antecedência.

take the road to the left, where you will find hundreds of restaurants, all with fresh seafood, and also the Roberto Burle Marx estate. A landscaper who won prizes the world over, as well as, amongst other things, an artist, painter, sculptor, weaver and potter, Burle Marx planned a beautiful garden for his collection of more than 3,500 species of plants, many of them in danger of extinction, in an area of 365,000 square meters. Apart from the gardens, the house itself is also an attraction, with its collection of the landscaper's works of art. However, to see this haven, visits can only be made by prior appointment.

Lírio-d'água (*Nymphaea*) | Water lillies

Praia da Joatinga | Joatinga Beach

Praia da Macumba, Recreio dos Bandeirantes | Macumba Beach
Restinga da Marambaia (ao centro) | Marambaia Sandbank (middle)
Barra de Guaratiba

Prainha (página ao lado) | Prainha Beach (facing page)

Praia de Grumari | Grumari Beach

CIP-Brasil. Catalogação na Fonte
Sindicato Nacional dos Editores de Livros, RJ.

M39r
    Mattos, Cláudia, 1968-
        Rio de todas as cores / textos de Cláudia Mattos ; fotos
    de Felipe Goifman. –
    Rio de Janeiro : Uniletras, 2002

    168 p. 21 x 28 cm : il. Color. /

Texto em português e inglês
ISBN 85-86484-40-7

    1. Rio de Janeiro (Estado) – Descrições e viagens. 2. Rio de
Janeiro (cidade) – Descrições e viagens.
I. Goifman, Felipe. II. Título.

CDD 918.153
CDU 918.153

Este livro foi produzido na primavera de 2002, no Rio de Janeiro,
pela Editora Letras & Expressões. Foram utilizadas as tipografias Meta plus book,
Filosofia e Frutiger. Impresso em São Paulo pela R.R. Donnelley América Latina,
no sistema CTP, em papel couché brilho 150g/m2.